يوتوبيا

يوتوبيا
أحمد خالد توفيق

الطبعــة الأولى ٢٠٠٨
طبعة دار الشروق الأولى ٢٠١٤
الطبعة الثانية والعشرون ٢٠٢٤

تصنيف الكتاب: أدب / رواية
تصميم الغلاف: أحمد مراد

رقـم الإيداع ٢٠١٤/١٧٥٢٠
ISBN 978-977-09-3307-7

© دار الشروق
٧ شــارع سيبويـه المصـري
مدينة نصر ــ القاهرة ــ مصر
/dar.elshorouk   /Darelshorouk

خالد توفيق، أحمد،
يوتوبيا/ أحمد خالد توفيق
القاهرة: دار الشروق، ٢٠١٤
١٨٢ ص، ٢٠سم
تدمك ٩٧٨٩٧٧٠٩٣٣٠٧٧
رقم الإيداع ٢٠١٤/١٧٥٢٠
١- قصص عربية أ. العنوان ٨١٣

أحمد خالد توفيق

يوتوبيا

دار الشروق

يوتوبيا المذكورة هنا موضع تخيلي، وكذلك الشخصيات التي تعيش فيها ومن حولها، وإن كان المؤلف يدرك يقينًا أن هذا المكان سيكون موجودًا عما قريب. أي تشابه للمكان والشخصيات مع أماكن وشخصيات (في الواقع الحالي) هو محض مصادفة غير مقصودة.

حقًّا إنني أعيش في زمن أسود..

الكلمة الطيبة لا تجد من يسمعها..

الجبهة الصافية تفضح الخيانة..

والذي ما زال يضحك..

لم يسمع بعد بالنبأ الرهيب..

....

أي زمن هذا؟

برتولت بريخت

الجزء الأول

الصيــــاد

- ١ -

كأنه الملصق الشهير القديم لفيلم الفصيلة.. هذا ما جال بذهني وقتها..

السبب هو أنني أعلق هذه الصورة فوق فراشي..

وليام دافو ينظر للسماء - التي لم يعد يفصله عنها شيء - رافعًا ذراعيه كأنه في صلاة أخيرة، وقد جثا على ركبتيه بعدما مزقته الرصاصات.. عندما يصير الموت أكبر من الحياة ذاتها.. عندما يصير الموت ضربًا من الجمال الفني..

* * *

المشهد كان مهيبًا خاصة أنه ليس على شاشة التلفزيون.. كل شيء حقيقي مروع قاسٍ.. و..

وفاتن..

لا تنكرن هذا من فضلك..

رأيته وهو يتوقف وقد أنهكه التعب.. بفقر الدم والجوع اللذين يفتكان به لا يمكنه أن يخوض هذه المطاردة للنهاية.. رأيته ينحني ليلصق كفيه بركبتيه طلبًا للهواء، ثم رأيته ينظر لأعلى بينما الهليكوبتر تدور حوله في تؤدة ودون قلق.. إن معها كل الوقت.. لا يوجد هدف

أوضـح من رجل مجرد من السـلاح وسـط رمال الصحـراء.. رجل أنهكه الركض...رجل أنهكه الجوع.. رجل أنهكه القنوط....

لا تقـاوم يا أحمـق!... ما الذي تمنحك إياه لحظات أخرى من العيش مع الأغيار؟.. ما الذي لم تحققه في سنواتك العشرين السابقة وتنـوي أن تحققه لو ظللت حيًّا؟... فرارك هذا لا يختلف عن فرار الصرصـور على جدار مطبخ، أو أميبا تنزلق تحت عدسـة مجهر... صرخـة غريـزة لا أكثر.. إنـه تفاعل التحاشـي الذي زرعته الطبيعة فيك، وعليك أن تتعلم كيف تهمله كي تظفر براحة استحققتها...

انطلقت الرشاشـات فنظر لأعلى.. نعـم.. هـذه الطلقات من أجلك أنت..

ترسـم ذلك الخـط الطويل على الرمـال.. الخط الـذي يمر بك أنت...

وليام دافو في ملصق الفصيلة...

خطر ببالي أن مخرجي السـينما حمقى عندما يظهرون المصاب بالرصـاص يسـقط على الأرض فـورًا.. كلا.. لقد نظر لأعلى وبدا كأنه يريد أن يقول شـيئًا ثم سقط على الأرض ووجهه في الرمال..

شـهقت جرمينـال رعبًا، لكنـي لمحت في عينيها ذلك البريق.. بريق إثارة لا شـك فيها.. صدرها يعلو ويهبط.. وتلامسـت أصابعنا حيـث وقفنا هناك خلف السـلك نرمق الهليكوبتر تنخفض مبعثرة سحب الرمال من حولها، ثم الحارس الأمريكي يثب منها ليتفحص الجثة.. يركلها بطرف حذائه ثم ينحني ليتحسس الشريان السباتي.. يرفع سبابته لأعلى ويصيح:

– « Lovely!».

ثـم يركـض نحو الطائـرة وفي ثـوانٍ يرتفع الوحش الأسطوري بعدما أنهى مهمة الصيد... كل هؤلاء الحراس من رجال (المارينز) المتقاعدين ولا أعرف سبب ذلك، لكنهـم بالتأكيد لا يفتقرون إلى اللياقة البدنية..

شهقت جرمينال رعبًا..

شهقت جرمينال نشوة...

الموت.. اللعبة العظمى التي لم نجربها بعد......

* * *

أقف أمام المرآة..

أتأكـد من أن شـعري حليـق بطريقة هنود الموهيكان الشـهيرة.. أصلع على جانبي الرأس والخصلة البنفسجية العالية في المنتصف مثـل ديك بري ثائـر.. الصدر عارٍ إلا من عدة قلائـد عملاقة..هناك جماجـم وأيقونات من سـحر الفودوو.. لسـت عابد شيطان.. في الواقـع أنا لا أصدق وجود شـيء على الإطلاق، لكن هذه الأشـياء تبدو مثيرة على صدري...

الوشـم كذلك غريب.. إنه يروق للفتيات هنا.. السروال المصمم بعنايـة بحيـث يظهرك في مظهـر أكثـر فحولة، وهو قصيـر يظهر ربلتي الساقين.. أحيانًا أمارس الحفاء لكن ليس اليوم.. أعلق القرط الجديد في غضروف أنفي والقرط الآخر في حاجبي.. لن أضع حلية اللسان اليوم.. ثم بصبر أقوم بتلوين أسـناني.. اللون الأحمر للنابين والأصفر

للقواطع.. الأزرق للضروس.. هذه الصبغة ممتازة ولا تزول بسهولة.. يقولون إنها غير سامة.. من يبالي بهذا؟.. ليتها كانت سامة..

أضع العدسات الملتصقة الجديدة التي تجعل لون العينين أبيض.. تأثير مثير للفتيات أن ترمقهن بعيون مبيضة كأنك الموت.. هذا يقهرهن فعلًا...

أتأكد من أن الجرح على جبيني مفتوح.. أعالج حافته بعناية ليبدو داميًا.. إن الجروح مثيرة بلا شك.. ظهرت هذه الموضة منذ عامين وصار لها متخصصون.. المهم أن يبدو الجرح بشعًا قدر الإمكان ويبدو صناعيًّا كذلك حتى لا يشمئز من يراه.. هذا فن حقيقي..

هذا الجرح أجراه لي طبيب إسرائيلي متخصص في هذا الفن.. يقول إنه درسه في نيويورك.. كان اسمه (إيلي)، وكان شابًّا ظريفًا.. قال لي إن أباه أصيب بجرح مماثل في حرب عام ١٩٧٣ مع المصريين، وسألني إن كنت أذكر شيئًا عن الموضوع.. قلت له إن لي عمًّا توفي في هذه الحرب، لكني لا أعرف التفاصيل... هذه أمور مر عليها خمسون عامًا... لا أعرف لماذا - في حقبة ما - كان المصريون يكرهون الإسرائيليين، لكني لا أهتم بفهم هذه الأمور.. ربما ذهبت للحرب لو طلب مني هذا لسبب واحد هو كسر روتين الحياة.. أن تمشي وسط طلقات الرصاص في صحراء تتناثر فيها جثث الموتى!... كم أن هذا رائع..

* * *

في (يوتوبيا)....

حيث يتوارى الموت خلف الأسلاك الشائكة، فلا يصير إلا لعبة يحلم بها المراهقون...

(يوتوبيا)...

ستة عشر عامًا من عمرك وأنت لا تنتمي إلا إلى يوتوبيا.. أنت مواطن (يوتوباوي) ذوبتك الحياة المترفة وذوبك الملل، فصرت لا تعرف الأمريكي من المصري من الإسرائيلي... صرت لا تعرف نفسك من الآخرين.. لولا بقايا الشهوة في عروقك لما عرفت الذكر من الأنثى...

من أنا؟.. دعنا من الأسماء.. ما قيمة الأسماء عندما لا تختلف عن أي واحد آخر؟

قال لي سالم بيه:

ـ «أنت تقرأ كثيرًا.. أنت مجنون..».

قلت له إن القراءة بالنسبة لي نوع رخيص من المخدرات. لا أفعل بها شيئًا سوى الغياب عن الوعي. في الماضي – تصور هذا – كانوا يقرءون من أجل اكتساب الوعي.

أنا لم أعد طفلًا ... لقد تجاوزت السادسة عشرة.. قرأت كل كتاب وقع في يدي حتى اكتفيت.. إن الكتب سلعة نادرة هنا، لكني وجدت كنزًا منها عند (سالم) بيه رئيس تحرير تلك الجريدة الذي يعيش على بعد مائتي متر من بيتي. لديه كتب كثيرة جدًّا، وقد بدأت القراءة على سبيل التحدي لأن (مراد) لا يقرأ وكذا (لارين). من الجميل أن تفعل شيئًا لا يطيقانه..

لسبب ما عشقت هذه الطريقة ووجدت فيها عوالم سحرية أنفذ إليها كلما أردت، وكان سالم بيه يرمقني في دهشة كلما زرت مكتبته ويقول:

ـ «صدقني يا بني.. لا شيء في هذه الكتب يهم.. أنا أقتنيها لأنها تجعل منظر المكتب أنيقًا، لكن الحياة هي المعلم الوحيد لك».

لم أكن أرد.. فقط كنت آخذ منه عشرة كتب في المرة، وأناوله بعض شرائط (الليبيدافرو) التي سرقتها من أبي. سالم أرمل لم يتزوج ثانية.. هكذا يمكنني أن أخمن ما ينوي عمله بالليبيدافرو. وبهذا قرأت قبل سن السادسة عشرة معظم ما وجدته من كتب فلسفة ودين وروايات.. لم أحب قط قراءة السياسة ولم أهتم بها، وكذلك التاريخ.. قرأت الكثير كذلك على شبكة الإنترنت، ويبدو أنني قرأت أكثر من اللازم لأنني لم أعد أطيق رؤية كتاب آخر.. لهذا السبب أنا أكثر ثقافة من أقراني بلا شك..

في سني الصغيرة نسبيًّا هذه كونت قناعة لا بأس بها هي أنه لا جديد تحت الشمس، ولا يوجد شيء واحد يمكن تعلمه بعد هذا.. هناك خلل اجتماعي أدى إلى ما نحن فيه، لكنه خلل يجب أن يستمر.. كل من يحاول الإصلاح يجازف بأن نفقد كل شيء. هذا وضع شبيه بالمكارثية في الولايات المتحدة، عندما شعر الأمريكان في القرن الماضي أن عليهم أن يقهروا كل نزعة يسارية لأنها تهدد كيانهم ذاته.. هذا ما حكاه لي سالم بيه..

عاشرت كل فتاة راقت لي، وجربت كل أنواع المخدرات حتى (الفلوجستين) الجديد الوارد من الدانمرك، الذي له رائحة الليمون.. يقولون إنه باهظ الثمن، لكن ما معنى باهظ الثمن؟.. هذه الكلمة نلوكها بفمنا دون أن نعرف معناها.. ما أعرفه هو أنه يأخذني بعيدًا بمجرد أن تضع قطرة منه على جلد ساعدك، وعندها ترى تلك النيران الفاتنة التي استمد منها اسمه.. تفيق بعد ساعات لتدرك أنك بحاجة للمزيد..

كنت قد بدأت تجاربي بالماريجوانا... لا بأس بها.. جربت عقار (إكستازي) وجربت LSD.. مشكلة هذا الأخير هي أنك بالفعل لا تضمن أن تظل حيًّا حتى تفيق.. من كل مجموعة لابد من واحد لا يتعاطاه كي يراقب الآخرين، ويطلقون عليه اسم (حارس الرحلة).. عندما تتسلل الأيوفوريا إلى عقولهم يكون الوثب من الشرفة أو إشعال النار في النفس أو التحديق في قرص الشمس حتى العمى أمورًا منطقية جدًّا... هذا مثير لكنني لا أحب أن أصير كفيفًا ما تبقى لي من عمر...

جربت عقاقير كثيرة جدًّا.. نبتاعها من الحراس الأمريكيين، ولكن مشكلة المخدرات هي أنها تفقد إثارتها ما دامت متاحة.. ثمة جزء مهم من اللعبة هو التحريم والندرة.. أن تتعاطاها خائفًا.. تتعاطاها قلقًا بصدد الجرعة التالية.. عندما تتاح المخدرات في كل وقت تفقد أي لذة لها... تصير مملة سوقية..

لم يعتد أبواي مراقبتي بهذا الصدد... لا أحد يتدخل في حياتي على كل حال.. من حقي أن أتعاطى أي شيء بأي كمية وبأي ثمن، وإلا فما كان عليهما أن ينجباني...

ليست الأبوة عملًا عظيمًا لهذا الحد.. بوسعي أن أكون أبًا لألف ابن لو أعطيتني ألف امرأة، ولأكونن لك شاكرًا...

اليوم أخبرت (لارين) أن (سوزان) حبلى...

لقد صار هذا روتينًا في حياتنا.. لا أعرف سبب الخصوبة التي رزقتني بها الطبيعة.. أبي لم ينجب سواي ولا أعتقد أنه كان يقدر على إنجاب آخرين، لكني جئت الكون كارثة حقيقية.. ألمس الفتاة فتأتيني بعد شهر لتقول إن الأعراض زارتها.. ما من فتاة فوق الثانية عشرة هنا لم تجرب هذه الأعراض وتألفها.. والنتيجة واحدة على كل حال.. سوف آخذ من لارين شيئًا وأعطيه للفتاة.. والفتاة سوف تقصد المركز الطبي لتتخلص من هذا الكابوس... جراحة يوم واحد تنتهي سريعًا. فقط تضطر الفتاة للحياة بلا جنس لمدة شهرين وهذا ممل بحق...

(سوزان).. (كاتي)... (مايا)... (جرمينال)... لكني أفضل الأخيرة لسبب لا أدريه.. ليس الحب طبعًا.. مثيرة جنسيًّا؟.. ربما.. لكني لم أعد أعرف إن كانت الفتاة مثيرة أم لا؛ لأنهن يتشابهن في كل شيء..

قالت لي لارين في ضيق:

- «ألا تفعل شيئًا آخر بحياتك سوى النوم مع الفتيات؟.. لقد صار هذا مملًّا...».

قلت وأنا أفرد ساقي على المنضدة أمامي:

- «ربما كنت شهوانيًّا كالخنازير.. هذا ليس ذنبي.. إنها الهرمونات».

ـ «ليت الأمر كذلك، لكني بالفعل لا أتصورك تشعر باشتهاء أو رغبة.. أنت تفعل هذا بداعي الملل لا أكثر..».

قلت بذات اللهجة:

ـ «ربما كنت ملولًا.. هذا ليس ذنبي كذلك».

وماذا بوسعك أن تفعل في هذه الجنة الصناعية؟.. تنام.. تتعاطى المخدرات.. تأكل حتى يزهق الطعام أنفاسك.. تقيء حتى تتمكن من معاودة لذة الأكل... تمارس الجنس (من الطريف أن تلاحظ كيف يجعل الملل سلوكك الجنسي عدوانيًّا ساديًّا).. لو كنت تعرف طريقة أخرى يمارس بها المرء حياته، فلسوف يسعدني أن تقولها..

أنا وجدت طريقة.....

أنا لم أعد طفلًا كما قلت لك.. (رامي) خاض تجربة الصيد ومعها ذاق الكثير من المرح.. (شادي) فعلها.. (أكمل) جربها ولم يستطع أن يخفي شيئًا عنا.. لقد عرض علينا التذكار الذي جلبه من هناك، ويبدو أنه كان تحت تأثير البانجو؛ ذلك المخدر الرديء الذي كانوا يتعاطونه في أوائل القرن.. طبعًا في العام ٢٠٢٠ صار الفلوجستين هو اسم اللعبة..

قررت أن أجرب بنفسي..

إنها (يوتوبيا)... حيث يضنيك البحث عن طريقة تزجي بها كل دقيقة من حياتك....

-٢-

أنا أعرف لماذا فعلها (راسم)...

ستة عشر عامًا.. وقرون من الخبرات المتراكمة..

مثل أباطرة الرومان قد جربتُ كل شيء، وعرفتُ كل شيء.. ليس هناك من جديد يثير فضولك أو حماسك في (يوتوبيا).. لا شيء يتغير.. أحيانًا يخيل لي أننا معتقلون، وأن الذين بالخارج هم الأحرار.. يذكرك الأمر بمعسكرات الاعتقال النازية التي تراها في أفلام الحرب..

(يوتوبيا)... المستعمرة المنعزلة التي كونها الأثرياء على الساحل الشمالي ليحموا أنفسهم من بحر الفقر الغاضب بالخارج، والتي صارت تحوي كل شيء يريدونه..

يمكنك أن ترى معي معالمها.. البوابات العملاقة.. السلك المكهرب.. دوريات الحراسة التي تقوم بها شركة (سيفكو) التي يتكون أكثر العاملين فيها من (مارينز) متقاعدين.. أحيانًا يحاول أحد الفقراء التسلل للداخل من دون تصريح، فتلاحقه طائرة الهليكوبتر وتقتله كما حدث في ذلك المشهد الذي لا يفارق خيالي..

بعد هذا منطقة الحدائق.. منطقة المدارس المخصصة لإقناع الآباء أنهم ما زالوا كذلك.. منطقة دور العبادة التي بها أكثر من مسجد وكنيسة ومعبد يهودي.. البعض هنا ما زال مصرًّا على أن يخاطب ذاتًا عليا لا يراها، ولكن جيل الشباب قد تخلص من هذه العادة على كل حال.. أعتقد أن سبب تشبث الكبار بذلك هو خشيتهم من أن يفقدوا كل شيء في لحظة.. أن يضيع التميز.. أن يجدوا أنفسهم في الخارج. إنهم لم يشعروا بعد بأنهم يستحقون ما هم فيه، بينما جيل الأبناء جاء الدنيا معتبرًا أن كل شيء من حقه. الكبار - على كل حال - قد كفوا عن نصح أبنائهم بأن يحذوا حذوهم.

هناك سبب آخر مهم في رأيي، هو ولع الكبار بأن يجمعوا بين طابعي الثراء والورع.. الثراء والورع ثنائي محفور - كما يبدو - في عقول جيل الآباء المصريين منذ دهور. صورة الحاج (عبد السميع) النازل من الطائرة العائدة من الحجاز، والعباءة الواسعة غالية الثمن على كتفيه وهو يوزع المال باليمين والشمال، وعلى وجهه ابتسامة وقور متئدة. رائحة عطره الثمين الفاغم ومسبحته الذهبية.. يبدو أن هذه الصورة محفورة في أذهان آبائنا فعلًا. أنا قرأت في الأديان قليلًا، وارتبطت فكرة الزهد بالورع في ذهني، دعك من أننا نعرف بعضنا.. كل هذا الورع لن يقنعني بأنهم لا يعاقرون الخمور ويغتصبون نساء الأغيار ورجالهم طيلة الوقت.. لقد صنعوا ثرواتهم من لحم الأغيار وأحلامهم وآمالهم وكبريائهم وصحتهم؛ لهذا يبدو لي ما يقومون به غريبًا لكنه شأنهم على كل حال.

منطقة المولات.. هنا يمكنك أن تبتاع الفلوجستين بشكل غير رسمي من بعض رجال الأمن.. ثم ترى القصور.. قصر (علوي) بك ملك الحديد.. قصر (عدنان) بك ملك اللحوم.. قصر أبي ملك الدواء.. ثم المطار الداخلي.. هناك مطار طبعًا حتى لا تضطر للخروج.. في الماضي كان يسيطر على قومي هاجس الهرب للمطار لو أن الآخرين بالخارج ثاروا.. رحلة المطار ستكون شاقة ومريعة وخطرة.. سوف يعترض الأغيار طريق السيارات ويمزقون من فيها.. أنا أعرف هذه الأمور لأنني أقرأ كثيرًا.. القصص كثيرة بدءًا بالثورة الفرنسية حينما جاب الرعاع شوارع باريس وهم يعلقون ثديي الأميرة (دي لامبال) على رمحين، وانتهاء بالثورة الإيرانية في سبعينيات القرن العشرين؛ عندما وجد مدير (السافاك) – على ما أذكر – سيارته محمولة فوق الأعناق وهو فيها، من ثم لم يجد حلًّا إلا أن يدس المسدس في فمه ويضغط الزناد.. رباه!... حتى وأنا أكتب هذه الكلمات شعرت بقشعريرة لذة!... مسدس في فمك.. معدن بارد.. وضغطة تنهي كل شيء!..

خشية من رحلة المطار هذه، قرر قومي أن يبنوا مطاراتهم الخاصة داخل مجتمعاتهم.. مع الوقت لم يعد هناك خطر من الثورة، لكن المطارات ظلت في مكانها على سبيل الترف..

* * *

عندما تخترق آخر حدود التعقل، تشعر بأن التعقل يتمدد ليضم لنفسه حدودًا أخرى يسيطر عليها الاعتياد والملل والرتابة.. حتى إفراغ مثانتك في حوض المطبخ يبدو متعقلًا مملًّا...

المجلس.. دخان التبغ ينعقد.. المكتب العملاق في بناية الاتحاد، ونظرة الحكمة في عيون الكبار... دقات الساعة.. كلمات.. كلمات.. سمعتها حتى لم تعد ذات معنى..

ـ «نحن أسرة واحدة.. إلخ... لسنا مثل الأغيار... إلخ.... ».

للمرة الألف...

هو ذا (راسم) يتظاهر بالمبالاة.. يمزجها بالخجل والندم.. أتحدى أن تجد عاطفة واحدة سبيلها إلى هذا الوجه الميت المتصلب.. عينان ميتتان تذكرانك بعيون القتلة في ذلك العالم الخارجي عندما تقتنصهم عدسات الكاميرا.. رجل يقتل زوجته وعشيقها ثم يجلس على المقهى.. امرأة تقتل طفلة من أجل قرط لا يساوي أكثر من مائة جنيه.. ثم تظهر الصورة في صفحات الحوادث.. عندها سوف ترى هاتين العينين..

لكنه كذلك ـ راسم ـ يتكلم.. الأحمق يتكلم:

ـ «حقًّا لا أعرف ما دهاني كي......».

للمرة المليون....

يقول الحكيم الأكبر بصوت رنان يروق له شخصيًّا من دون شك:

ـ «نحن لا نقحم أي طرف في مشاكلنا.. سوف يتعهد (عزام بك) بدفع ثمن الـ....إلخ.. ابنك هو ابني والعكس.. إلخ....».

و(عزام بك) يتعهد في وقار بدفع ثمن الـ...... وهو يداعب حبيبات مسبحته الذهبية...

جلسة عائلية تضم علية القوم في يوتوبيا، فهذا المجتمع قد أفرز قوانينه الخاصة ومحاكمه. هناك شاب قد أخطأ أو فعل ما يوجب حنق الكبار عليه.. الأخطاء هنا هي أن تدمر الملكية الفردية لآخر من يوتوبيا أو تسطو عليها.. (راسم) قد أفرط في الشراب فدمر جزءًا من مول (إليت) الخاص بمصطفى بك.. ربما سرق شيئًا.. لا أحد بحاجة للسرقة، لكنك بحاجة إلى إثارة وتوتر وإثم السرقة.. الكلبتومانيا أو داء الولع بالسرقة هو سبب أكثر الجرائم هنا، والباقي يحدث في لحظة سكر بين أصدقاء لم يعودوا كذلك... لحظة جنون..

هذه النزاعات تتم تسويتها في مجالس مشابهة.. وعامة يكون التفاهم حاضرًا، والاستعداد للترضية متوافرًا.. لا أحد يريد للخلافات أن تخرج من يوتوبيا..

الإثارة..

الإثم..

التعدي..

خرق القواعد..

التحدي..

كسر التابو...

المشاغبة..

المخالفة..

الهدم..

التوتر..

الأدرينالين..

التغيير..

التمرد..

الانحلال..

الصدمة..

التميز..

الدهشة..

هذا هو اسم اللعبة..

لأسباب كهذه وفي ليلة كهذه، نام (راسم) مستسلمًا وترك لثلاثة من رفاقه أن يفعلوا به ما يشاءون..

لأسباب كهـذه، يسـتحضرون الأرواح بـلا توقف.. هي ليسـت أرواحًـا يا حمقى.. إنه عقلكم الباطن يعبث بكم عـن طريق ما يدعى بالـ ideomotor effect. لهذا يتحرك لوح الويجا لأنكم تريدون هذا..

ولأسـباب كهذه، يعبثون في المقابر ليلًا.. (أكمل) تحدث عن النكروفيليـا أو مضاجعة الموتى، لكن الأمر لم يبدُ لي مغريًا وأعتقد أنك توافقني..

لأسباب كهـذه، لا تسـتعصي أي فتـاة عليك هنا أكثر من ثلاثة أيام....وعندما تخضـع لك، لن تصدق مدى ما هي على اسـتعداد لقبوله بسبب السأم.. لكن هذا لا يثير انبهارك...

عندما تخترق آخر حدود التعقل، تشعر بأن التعقل يتمدد ليضم لنفسه حدودًا أخرى يسيطر عليها الاعتياد والملل والرتابة......

لأسباب كهذه أريد أن أجرب الخبرة العظمى...

* * *

ظلام الليل والصحراء... ظلام الاحتمالات والأفكار.. أعرف أنني أستطيع قهر (جابر) لو هاجمنا.. لن ينتصر الفقر والشحوب وسوء التغذية على الثراء والرياضة منذ الصغر..

لكن (جابر) يمشي وسط الصحراء بين النباتات الشوكية وبقايا الصبار.. يلتف وراء تل صغير ويطلب منا اللحاق به، فهرعت وجرمينال إلى هناك متوقعيْن الأسوأ..

* * *

أصحو من النوم..أفرغ مثانتي.. أدخن.. أشرب القهوة.. أحلق ذقني.. أعالج الجرح في جبهتي ليبدو مريعًا.. أضاجع الخادمة الإفريقية.. أتناول الإفطار... أصب اللبن على البيض وأمزق كل هذا بالشوكة..ألقي بالخليط المقزز في القمامة... أتثاءب.. أضحك.. أبصق... ألتهم اللحم المحمر.. أدس إصبعي في حلقي.. أدخل غرفة نوم لارين لأفرغ ما بمعدتي على البساط.. أضحك.. أدس إصبعي في أذني.. آخذ زجاجة ويسكي من البار وأجرع منها.. أرقص.. أترنح.. أقف فوق أريكة.. أتقلب على البساط.. أقرأ الجريدة التي لا تزيد على اجتماعيات يوتوبيا... كل مستعمرة لها جريدتها الخاصة، لكن هناك جرائد عامة لا تستطيع قراءتها من فرط

ما فيها من سخف.. أخرج أنبوب الفلوجستين.. أصب قطرات على جلدي.. أنتشي.. أرى النيران الخضر... أضحك... أمشي عاريًا في الردهة.. ألبس ثيابي.. أرسم على الجدار بقلم الفحم شعارات تقول: اقتلوا البيض.. لا أعرف معنى هذا ولا من هم البيض، لكنهم هكذا يفعلون في السينما.. أشغل بعض موسيقى الأورجازم.. الإيقاع الجديد الذي ظهر منذ عام.. الكبار يشعرون أنه مجرد صراخ مجنون ويترحمون على إيقاعي الهيفي ميتال والديث ميتال الراقيين اللذين اندثرا.. أرقص.. أقيء.. آكل من جديد..

ساعة واحدة فعلت فيها كل شيء، ولم يبقَ شيء في الحياة يهمني أو أريده!

في يوتوبيا ما زالت الأم هي الأم.. لا يمكنك التخلص منها..

(لارين) عائدة من المول حاملة عدة أكياس تحوي ما نحتاج له.. أشياء تؤكل وتشرب وتدهن وتشم وتدهن تحت الإبط وتطلى بها الأظفار.. أعرف أن أكثر ما ابتاعته لا حاجة لنا به.. سوى أن نتخلص من أكثره.. إنه الملل.. إنه الإحباط.. لا أعرف الكثير عن حياتها الجنسية.. لكني أعتقد أن (مراد) لم ينم معها منذ قرون.. لابد أنه ملها إلى درجة أن الليبيدافرو ذاته لم يعد مجديًا معها.. عندما لا يضاجعك أحد، فأنت تبتاع أشياء لست بحاجة لها.. عندما لا يضاجعك أحد، فأنت تتعاطى المخدرات خلسة وتشرب الكثير من الخمر.. عندما لا يضاجعك أحد، فأنت تتدخل في أمور الآخرين.. قالت شيئًا عن القيء على البساط وطلبت من الخادمة أن تنظفه.. قالت إن الفلوجستين سوف يقتلني.. قالت إنني أبدد قواي.. قالت. قالت.....

بلا مقدمات قلت لها:

- «أنا راغب في تجربة الصيد..».

شهقتْ......

قالت في ذعر وقد اتسعت عيناها:

- «هل ينقصك شيء؟.. معك من المال ما يكفي لتشتري يوتوبيا كلها..».

- «وما حولها..».

- «لديك من الفتيات ما يشبع شهوات سلطان فحل من سلاطين ألف ليلة وليلة..».

- «والفتيان أيضًا..».

- «لديك من وسائل التسلية ما يسري عن جيش من اليتامى الباكين».

- «وأحفادهم كذلك..».

- «إذن ما المشكلة؟».

- «المشكلة هي هذا كله.. لديَّ كل شيء.. حان وقت الشيء الوحيد الذي لم أجربه ولم أظفر به..».

قالت في هستيريا:

- «لو عدت للكلام في هذا الموضوع فسأخبر أباك!».

(مراد) ليس هنا.. إنه في سويسرا يراجع أرقام حساباته.. هذا نشاط محمود على كل حال؛ لأن هذا يعني أنه سيضاعف ما أنفقه

على الفلوجسـتين.. أحيانًا أتمنى ألا يضيع وقته ويرسـل لنا النقود من الخارج..

قلت لها في تحدٍّ:

ـ «(مراد) لا يتدخل في شئوني.. هو أذكى من هذا..».

قالت وهي تلوح بإصبعها في وجهي:

ـ «للمـرة الألف.. اسـمه بالنسبة لـك (بابا) وليس (مـراد).. أنا أسـمح لـك بأن تناديني باسـمي بدلًا مـن كلمة (مامـا) لكي أحتفظ بصداقتك، لكن هناك حدودًا يجب ألا تتجاوزها... وأنا لن أسـمح لك بهذا..».

لكنك تدرك على الفور أنها ليست جادة...

كل هذه الأعوام واسمه (مراد).. لا يمكن أن تغير هذا في لحظة لمجرد أنها قررت أن تلعب دور الأم الحازمة...

لارين لن تقبل لأنها تريد التظاهر بأنها لا تقبل..

مراد لن يقبل لأنه يجب ألا يقبل...

إذن....؟

-٣-

«عندما تنفتح المقابر وتخرج الشياطين..

عندما تتناثر جماجم الأطفال في السهول..

عندما تتلوث أجنحة الملائكة بالدم، وتمارس سندريللا البغاء..

عندما يعلن بعلزبول أن الحين قد حان..

عندها فقط يمكنني أن أغمض عيني مستريحًا...

وأموت.....».

من أغاني الأورجازم

* * *

تندفع السيارة التي تحمل (راسم) و(شادي) و(ريري) بسرعة جنونية.. تندفع بسرعة ثم تتوقف بفرملة مفاجئة تجعلها تدور كالنحلة حول نفسها..

هنا تندفع نحوها السيارة الفيراري التي تخص ماهي.. لو اصطدمت بها لشطرتها نصفين... لكن ماهي تجذب فرملة اليد في آخر لحظة لتدور حول نفسها مع عويل تسمعه يوتوبيا كلها..يا بنت

يـا ماهي!...يدير راسـم محرك سـيارته ويندفع فيوشـك على دهم واحـد من الأغيـار العاملين هنا، لكن الأحمـق وثب على الرصيف المرتفع..

لسـبب مـا لا أفهمه يصر هـؤلاء على أن يعيشـوا.. فعلًا لا أمزح هنـا أو أبالغ. لو كنت من الأغيار لتركت عجلات السيارة تمر فوق أحشائي.

كانـت ماهـي قـد فرغت مـن دورتهـا فانطلقـت تلاحق سيارة راسـم.. على الأرجح ستُدمر السيارتان اليوم.. لكن المشكلة هي أننـا لا نمـوت.. لا أعني أننا خالدون، لكننا صرنـا أكبر من المرض والحـوادث.. الأغيار يمرضـون ويذهبون للعلاج في المستشـفى، فتنقلب بهم السـيارة التي ما زالت تعمل بالكيروسـين في الترعة أو تصطدم بشجرة.. ليت الموت متاح بهذه السهولة هنا!.. إذن لكانت الإثارة عظمى... لا أعرف السبب لكن الحوادث نادرة عندنا وعندما تقع لا تقتل أحدًا..

من حين لآخر، ترى مطاردة عنيفة بين سـيارات الشـباب.. غالبًا ما تنقلب سـيارة أو اثنتان وهذا يضفي إثـارة غير عادية على الحياة، لكنك للأسف لا تستطيع قلب سيارة كل ساعة في اليوم...

لمـاذا لا ننتحـر؟.. لا أعرف.. الانتحار يبدو سـوقيًا و(بلدي) جـدًا.. يذكـرك بكل هـذا السـخف عن الأغيـار.. الفتى الفاشـل فـي حبه يحرق نفسـه.. يا للسـوقية..!.. كيروسـين وضوء خافت وحي شـعبي ودجاج.. بالذات الدجـاج!.. كل هذا يجعل معدتي

تتقلص..الأب الذي فشل في إطعام أطفاله.. الفتاة التي تبتلع الأسبرين.. نحن أكبر وأرقى من هذا الهراء.. لابد أن يكون الموت أنيقًا مسرحيًّا..

موتك وموت الآخرين متساويان.. إذن فليمت الآخرون.. على الأقل، يمكنك أن تراهم وهم يموتون بدلًا من أن يروك هم..

* * *

أقدم لك (مايك رودجرز) قائد رجال الأمن.. رجل أمريكي من ميسوري، لطيف المعشر، له شارب أشقر رفيع.. قُصة (الطاقم) المميزة والعضلات البارزة وطرف الفانلة الخضراء الزيتية البارز من السترة. معه أستمتع بالكلام بالعامية الأمريكية ذات اللكنة الريفية الممطوطة كأنه خوار بقرة كسول ترعى في مرج، مع استعمال الكثير من الشتائم البذيئة التي تضحكه.

(مايك) كان من المارينز، وقد حارب في فيتنام في أوائل هذا القرن.. لا.. آسف.. حارب في العراق.. أخلط بين العراق وفيتنام كثيرًا؛ فهما بلدان بعيدان قصيان كانت للأمريكان تجارب قاسية فيهما.. قال لي ذات مرة ونحن نتعاطى الفلوجستين:

ـ «كانت غلطتنا في العراق أننا تواجدنا وسط الناس أكثر من اللازم.. سرعان ما صححنا هذا الخطأ وانسحبنا من المدن لنكثف وجودنا في قواعد مغلقة محصنة حول منابع النفط..».

ـ «معلوماتي أنكم هزمتم في العراق..».

ضحك كثيرًا ثم استجمع أنفاسه وقال:

ـ «أنـت تتكلـم مثل الأوروبيين.. بدأنا الحرب للإطاحة بالطاغية والسيطرة على النفط وتحويل ذلك البلد الغني إلى أشلاء.. حسن.. فعلنا هذا كله حرفيًّا، فهل يوجد اسم آخر للنصر؟».

ـ «هل كان النفط بهذه الأهمية؟».

* * *

ـ «كان.. كـم من حروب خضناها بسببه...!.. ثـم ظهر البايرول فجـأة مـن سـماء صافية..ذلك الكيميائـي الأمريكي الـذي توصل لـه عـام ٢٠١٠ نال جائـزة نوبل.. هنا فقط أمكننا أن ننسى الشـرق الأوسط وأن نخرج ألسنتنا لشيوخ البترول ونخبرهم برأينا الحقيقي فيهـم.. يمكنهم أن يشـربوا بترولهم لـو أرادوا، لكن الحصول على البايرول له ثمن...!».

ـ «كان هذا عندما ابتعتم كل الآثار المصرية؟».

ـ «نعـم.. لـم يكن لـدى المصريين مـا يُباع سـوى الماضي وقد اشتريناه، ودفعنا ثمنه بالبايرول الذي احتكرته يوتوبيا والمجتمعات المماثلة.. عقـد لمـدة خمسـين سـنة يكفل لكـم البايرول اللازم للحياة.. كيف تحسـب سياراتكم وطائراتكم هـذه تتحرك؟... كل السيارات والطائرات تتحرك بالبايرول منذ عشرة أعوام.. السيارات والمحـركات التـي تتحـرك بالبترول قـد انتهى عهدهـا أو كاد.. لقد صار البتـرول رخيصًا كالماء، لكن المشكلة هي ندرة الآلات التي تعمل به!».

لم يكن هذا الدرس التاريخي يعنيني في شيء... لا يهمني كيف

كانت الأمور ولا كيف صرنا ما نحن عليه.. ما يعنيني هو ما نحن الآن وما سنكون...

نحن الآن بصدد الخدمة الأهم التي سيقدمها لي....

سألته عما إذا كان بوسعي أن أجرب الصيد.. قدمت له أسبابي التي تتلخص في ثلاث نقاط: الملل ثم الملل ثم الملل..

تغير أسلوبه ووضع حاجز الكلفة الزجاجي الرسمي بيننا وقال في حزم:

- «مستحيل.. ولو حاولت لمنعتك.. إن الظروف خطيرة هذه الأيام والمغامرة غير مأمونة».

قلت في ضيق:

- «منذ ولدت تقولون إن الظروف خطيرة هذه الأيام.. لا شيء يحدث.. هؤلاء الذين خارج الأسوار خراف لا أكثر.. صدقني».

قال وهو يشعل لفافة تبغ:

- «لو اجتمعت الخراف الغاضبة على طفل لمزقته تحت أقدامها..».

- «هل سمعت من قبل عن خراف غاضبة؟..».

- «هم فقدوا القدرة على الغضب، لكنهم كالخراف يهتاجون أحيانًا بلا سبب ولا مبرر واضح.. ونحن نعيش إحدى هذه اللحظات..».

ثم نفث دخان التبغ وقال في ملل:

ـ «اسمع.. لـن أسـمح لك مـا لم أتلقَ أمرًا صريحًا من مسـتر (مراد)».

وكنـت أعـرف أن مسـتر (مـراد) لـن يوافـق.. هـو لا يرغب في المجازفة بوريثه الوحيد...

* * *

هكذا جلست ذات ليلة مع باقي الشلة نتعاطى الفلوجستين.. رائحة الليمون الواهنة تملأ المكان...

نجلس على الأرض.. يمرر أحدهم الأنبوب الزجاجي الشفاف.. فيه قطارة صغيرة تملؤها ثم تسكب ثلاث أو أربع قطرات على جلد ساعدك.. ناولها لمن بجوارك... ثم انتظر...

انتظر حتى ترى الوهج الأخضر يتراقص...

قطّر كل روائح الكون.. قطّر عبق السراخس في المستنقعات التي خطت فيها الديناصورات منذ ملايين السنين.. قطّر رائحة عرق كليوباترا ودماء يوليوس قيصر.. قطّر البخور الذي أشعله الدراويش في ليالي القاهرة الفاطمية.. قطّر النيران التي التهمت القاهرة فيما حكوا لنا، وقطّر عبق كل غانيات باريس راقصات الكان كان.. قطّر كل روائـح حيتـان العنبر وكل أنفاس النمور الآسيوية التي تتسـلل في ظلام الأحراش.. قطّر الأحراش ذاتها.. قطّر روائح البانسيه والنرجس والليلاك والزنابق.. قطّر كل هذه الروائـح معًا ثم... ثم ماذا؟.. نسيت..........

الآن أنت لم تعد هنا... الآن أنت سـيد المكان والزمان والكون

٣٤

ذاتـه..الآن كل ما حلمت به موجود هنا معك... يمكنك أن تشـرب الأفكار في كئوس، وتصب الخمر في دهاليـز عقلك.. يمكنك أن تلتهم الروائح وتراها.. يمكنك أن تشم الضوء.. كل ما خشيته رحل إلى غير رجعة.. أفكار عبقرية تخطر لك لكنك تنساها عندما تتمعن فيهـا.. عبارات مـزاح ظريفة جـدًّا تتبخر قبل أن تخرج من فمك.. لكنك تقدر أنهم سـمعوها.. لهذا تضحك.. لهذا يضحكون... بعد قليل يأتي الذهول وتشـخص عيناك.. هذه هي اللحظة.. إنه (النفق) الذي لن تخرج منه إلا بعد ساعات...

أشـرت لـــ جرمينال كي تقترب مني.. كانت شـاحبة قليلًا بعد جراحة الكحت والتفريغ التي أجرتها الأسبوع الماضي للمرة الثالثة للخلاص من ابن جديد لي، وكانت في حالة انسجام تامة فلابد أنها تغوص وسط النيران الخضر الآن.. قلت لها:

ـ «لقد قررت أن أخوض التجربة.. أريد أن أحضر تذكارًا..».

شهقتْ في جزع وإن لم يبدُ أنها مذعورة حقًّا فأضفت:

ـ «نحن هنا ذقنا كل المتع.. نفس ما مر به نيرون وكاليجولا.. لم يعد من شيء يضفي الإثارة على الحياة مثل أساليب هذين..».

قالت هامسة:

ـ «لكن هذا خطر.. أنت تعرف هذا.. هناك يكرهوننا بجنون ولو رأونا بينهم فسوف.....».

ـ «هذا هو ما أريده.. الخطر.. الموت».

بـدأ وجهها يتقلص من النشـوة لسـماع هذه الكلمـة.. الخطـر.. الإثارة.. كلمات لم تعد في قاموسنا..

ليس صيد البشـر غريبًا إلى هذا الحد.. أنـا قرأت عن الموضوع كثيرًا.. هل تعلم أن صيد قبائل البوشمن كان نشاطًا رياضيًّا مسموحًا به في القرن الماضي؟.. وفي عام ١٨٧٠، انقرض آخر البوشمن من (الكيب) نتيجة لكثرة الصيد.....

برغم أن الصيد غير قانوني في يوتوبيا، فإن الكبار كانوا يتجاهلونه ما دمنا لا نكشـف عنه علنًا.. وهو شـعار يوتوبيا العام: افعل ما تريد طالما لم تعتدْ على مال باقي سـكان يوتوبيـا.. والأهم افعل ما تريد لكن أبقه سـرًّا حتى لا تضع على عاتقنا عبء أن نبدو حازمين، ولا تضع على ضمائرنا عبء أن نتظاهر بالشفقة..

لكننـا ـ نحن الشـباب ـ صرنـا نعتبر الصيـد نوعًا مـن اختبارات الرجولة.. (راسـم) فعلها.. تسـلل ليلًا إلى منطقة من تلك المناطق المخيفة التي يعيشـون فيها. أعتقد أن اسـمها منذ عشـرين عامًا كان (باب الشـعرية) أو شـيئًا من هذا القبيل.. اختطف واحدًا من هؤلاء الأغيـار العاطلين وعاد به إلـى (يوتوبيا)، وقضى ورفاقه أيامًا ممتعة من ملاحقة هذا المخطوف بالسـيارات، ثم قتلوه واحتفظ (راسـم) بيده المبتورة بعد ما قام بتحنيطها.. كل واحد من أصدقائي قام يومًا مـا بهذه الرياضة: رياضة صيد الأغيار، وعـاد منها بتذكار ثمين يريه لأمثالي..

قلت لـ جرمينال:

ـ «الليلـة ننطلق إلى الخارج لنأتي بواحد منهم.. ولسـوف تأتين معي..».

كانت تحبني عندما أصدر الأوامر.. هذا يشعرها بالقهر ويدغدغ ماسوشيتها..

عندما لا يصدر أحدهم أمرًا لك طيلة حياتك.. عندما يدللك الجميع.. عندما تتحقق أتفه أحلامك، فإنك تعشق من يرغمك على شيء.. كنا نلعب تلك اللعبة كثيرًا.. نأمر الفتيات وعلى الفتاة أن تنفذ ما يُقال لها مهما كان.. أي شيء..

لمعت عيناها حماسة..

لكني كنت أفكر في خطة مناسبة.. ليس من السهل أن تتسلل لعالم الفقراء بالخارج.. العسر كل العسر أن تستطيع المرور من بوابة الحراسة المحكمة حول (يوتوبيا).. إن الفقراء وأبناء الأكابر يبدون متشابهين عندما تراهم في الظلام من طائرة.. طلقات في الظلام.. جثثًا هامدة وحادثًا مؤسفًا.. سوف يتم حل المشكلة في جلسة من جلسات الكبار، وينال أبي عدة ملايين على سبيل التعويض... أعتقد أن هذا الحل يروق له، لكنه لا يروق لي....هذا كل شيء......

ماذا أفعل؟

-٤-

غارقًا وسط النيران الخضر التي صارت علامة مميزة لعقار (الفلوجستين).. تلك النار الخضراء الباردة التي تسبح فيها وتنتشي ثم تخرج رأسك طالبًا المزيد، قلت لـ جرمينال:

-«هل تعرفين أنهم هناك لا يستعملون أسماء لارين وجرمينال..؟.. يستعملون أسماء مثل (باتعة) و(زكية) و(عطيات)..».

وانفجرت ضحكًا.. لا أعرف السبب بالضبط، لكن الأمر راق لي كثيرًا..

قالت جرمينال وهي تدخن لفافة التبغ المحشوة الخامسة:

- «أعرف هذا.. نراه أحيانًا في التلفزيون في تلك التمثيليات العتيقة».

الحقيقة أن لنا تلفزيوننا الخاص الذي يعرض فقط ما تريده أنت.. نظام الكابل وسينما المنزل.. هناك إقبال عالٍ على أفلام الجنس والعنف والجريمة.. من الغريب أن الأغيار يقبلون على ذات الأفلام في تلفزيوناتهم الرخيصة، لكن لأسباب تختلف.. حب العنف هنا سببه الملل..حب العنف هناك سببه الفقر والغل

المكبوت.... لماذا كان أباطرة روما و عامة الشعب يحبون مشاهدة العبيد ويمزقون بعضهم؟.. لماذا لم يُكْسِب الفقر الفقراء رحمة؟.. ليت أحد علماء الاجتماع يفسر لي هذا.. على قدر علمي، يختلف مزاج الأباطرة تمامًا عن مزاج عامة الشعب، فلماذا يتفق المزاجان في شيء واحد هو القسوة؟..

❋ ❋ ❋

كانت العاشرة مساء وقد حان وقت التحرك.. لقد رسمت الخطة بعناية.. في الحادية عشرة تصل السيارة التي تنقل العمال لمناطقهم العشوائية.. نعم، هناك عمال في يوتوبيا لأن هناك أعمالًا لا نستطيع القيام بها.. يأتون صباحًا بحافلة خاصة ويعودون بها ليلًا، وهم تحت المراقبة في كل الظروف.. لا يتكلمون ولا يرفعون عيونهم، لكنك تشم منهم خليطًا مزعجًا من المقت والخبث والتملق والغضب المكبوت والرائحة الكريهة.. سنوات من القهر جعلتهم أقرب إلى الوحوش... يومًا بيوم يفقدون جزءًا من آدميتهم حتى صاروا كائنات مريعة بحق....

انتظرت مع جرمينال في الظلام قرب مكان تجمعهم.. وقعت عيني على رجل يقاربني في الحجم، ووقعت عيناها على امرأة تقاربها في الحجم.. كانت الحيلة بسيطة، بل هي أقدم حيلة في التاريخ..

وقفت على بعد خطوات من الرجل أقضم شطيرة من الهامبورجر في تلذذ..

رأيت عيني الرجل تتسعان وهو يرمق الشطيرة.. تحركت تفاحة آدم مع ابتلاع ريقه..

قلت له في ترغيب:

ـ «هل تريد قضمة؟».

نظر لي في حذر كذئب يدعوه أحدهم لقطعة لحم، ولم يرد.. نظرت حولي ثم قلت همسًا:

ـ «لا أستطيع أن أعطيكها هنا.. تعالَ خلف هذا الجدار... لو رآنا أحد الحراس لكانت مشكلة لك».

ولـم أتـرك لـه فرصـة للتفكيـر.. أسـرعت خلف الجـدار القريب ووقفت..

بعـد دقيقة ظهر لـي كما توقعت ولعابه يسيل وعينـاه متصلبتان على الشطيرة:

ـ «هاتها..!».

مـا أقبح منظره!.. كل عالمـه تلخص في هذه الشـطيرة التي في يدي، ولم يعد يعرف أي شيء عما يدور حوله..

هنـا دارت جرمينـال بدورهـا حول الجدار، ثم هوت على رأسـه بقطعة قرميد أخفتها في حقيبتها.. لم يكن هذا سهلًا لأنها لم تعتده، وقد اضطرت إلى أن تهوي على رأسه مرتين؛ لأن الضربة الأولى لم تكن حاسمة جازمة.. وعلى الفور تعاونًا في الظلام على نزع ثيابه وارتديتهـا أنا..مزيـة هذه الثيـاب أن هناك بطاقة هويـة في جيب كل منها.. هناك (كاسكيت) على الرأس... لا بأس.. هذا يخفي معظم معالم الوجه..

تناولت جرمينال الشطيرة مني وهي ترتجف، ثم وقفت قرب المرأة المختارة..

تكرر السيناريو بذات الخطوات تقريبًا... الاستدراج.. الجدار... لقد هويت على رأس المرأة بقطعة القرميد، ثم جردتها من ثيابها لتلبسها جرمينال.. أخفينا ثيابنا الأصلية تحت حجر.... المرأة تلف رأسها بإيشارب وهذا من جديد يسهل الأمور....

يا لها من مغامرة!

الآن فقط أشعر بالأدرينالين يتدفق في عروقي.... النشوة!

نظرت للسماء ورحت أعب الهواء في جرعات كبيرة ليهدأ قلبي قليلًا فلا يثب من صدري.. توقف!.. بالله عليك توقف!

الآن نصعد إلى الحافلة وقد تحولنا إلى رجل وامرأة منهم.. فقيرين كئيبين.. الثياب كريهة، الرائحة خشنة، لكن من قال إن المغامرات مريحة؟..

الحافلة تتحرك ببطء نحو البوابات الخارجية.. نقاط تفتيش.. جندي أمريكي يسلط الكشافات على وجوهنا.. لحظة الضعف عندما يرون ولا ترى.. لكنك تضع ثقتك في قذارة الثياب وفي غطاء الرأس...

لا أحد يعرفنا في الحافلة لأن هؤلاء القوم لم يعودوا يعرفون من يأتون ومن يرحلون.. عندما نرغب في العودة سيكون هذا أسهل؛ لأنني سأتصل بأبي طالبًا أن يرسل لنا من يعيدنا إلى (يوتوبيا)..

حدث هذا مع (شـادي) عندما وجد نفسه محاصرًا في (العتبة)، عاجزًا عن العـودة.. اتصل بأبيه ملك الاتصالات الذي أطلق بعض السـباب، ثم أرسـل لـه طائـرة هليوكوبتر خاصـة بالماريـنز، وكان المشـهد دراميًّـا مروعًـا عندمـا راحت الطائـرة تحلـق عموديًّا فوق (العتبـة) مطلقة رصاصها فـوق الرءوس، بينما تدلـى رجال الإنقاذ بالحبال ليحملوا (شادي) وصيده...

وارتفعت الطائرة فوق الرءوس كأنها إله وثني من آلهة الإزتك.. واو!.. أي إثارة!

همست جرمينال في أذني:

ـ «رائحة الثياب كريهة.. هذه المرأة لم تكن تستحم..».

أمرتهـا بالصمت.. لم يعد يحمينا الآن إلا حسـن تصرفنا بعد أن خرجنـا من البوابة، وبعد أن تفحص رجـال المارينز هوياتنا دون أن ينظـروا لوجوهنـا.. إنهم لا يدققـون فعلًا فيمن يخـرج.. المهم من يدخـل.. لكـن ما يقومون بـه هو نوع مـن تأكيد الحضـور لا أكثر.. فلتعرفوا من هو القائد أيها الرعاع..

* * *

«تنسحق الشمس إذ تطؤها أقدام الكوكب الأحمر..

تصرخ الملائكة خوفًا..

أنت فريستي.. أنت لي..

فقط عندما تصير جزءًا من خلاياي بعد الافتراس..

عندها تعرف معنى الأبدية..».

من أغاني الأورجازم

* * *

الليل والصمت وإثارة المغامرة.. والصحراء... أعتقد أنني غفوت لبعض الوقت..

الرائحة الكريهة تدنو من جرمينال.. الرائحة الكريهة والبخر من فم تلفت أسنانه.. امرأة.. تشريحيًّا هي كذلك... أو كما يصف راسم مثيلاتها : هذا رجل مثقوب لا أكثر!

تقرب رأسها من جرمينال كأنها تنين يطل من المقعد الخلفي.. تهمس:

ـ «معك سيجارة يا شابة؟».

مذعورة تهز جرمينال رأسها أن لا.. يا لسذاجة انعكاساتك!... لو أن كلبًا مسعورًا يتشممك لما تصرفت بهذا الشكل...

ـ «معك أي شيء يؤكل؟».

لسبب ما تعتقد هذه المرأة أنها تجلس خلف بوفيه مفتوح...

تمد جرمينال يدها في الكيس الذي تحمله ولا شعوريًّا تناولها بقايا شطيرة الهامبورجر...

المرأة تقضم من الشطيرة في جشع.. تلوكها في تلذذ شبه جنسي.. تقول إنها لو وجدت سيجارة لصارت الحياة أروع...

ـ «هل تعملين عند الحمزاوي بك؟».

لا تعرف جرمينال ما تقوله لها... تهز رأسها أن نعم.. تقول المرأة إنه وغد ولص وابن كلب.. الرجل صديق أبي لكني أوافق على كل حرف.. لقد اقتصدت الكثير من الأوصاف...

ألتفت لها وأقول في خشونة محاولًا التخلص من ثقل لغتي العربية:

- «كيف خمنت أنها تعمل عنده؟».

- «لأنها شابة مليحة؛ ولأنها تحمل هذه الشطيرة.. ».

تمد يدها على شكل قمع وتقبض بأطراف أناملها على ذقن جرمينال.. ثمة لمسة غير مريحة في هذه الحركة تتجاوز السلوك الطبيعي... لهذا تجفل جرمينال كأنها لامست ثعبانًا.. لابد أن الأظفار الطويلة تخدش جلدها الناعم....

تردف المرأة:

- «يحب الشابات المليحات.. لديه جيش من الجواري.. ابن الزانية يضاجع ثلاث فتيات في فراش واحد أحيانًا.. مع أنه تجاوز الستين لكنه ما يأكلونه.. إن الإستاكوزا وذلك الدواء الجديد يأتيانه يوميًّا طازجين من فرنسا..».

كنت أعرف اسم الدواء الجديد لأن أبي يستورده.. (ليبيدافرو).. مستحيل أن تنطقه المرأة.. منذ أعوام كانت الفياجرا ثم جاء هذا العقار القادر على إتيان المعجزات.. لهذا لا يتوب رجال يوتوبيا أبدًا.. لا يشيخون ولا يهرمون، وشهوتهم للنساء أبدية كآلهة الإغريق، لكن الكبار لا يجدون فرصتهم إلا مع الأغيار على عكس

الشباب.. أنت تظفر بالمرأة عن طريق فتوتك أو مالك أو نفوذك أو سطوتك... يملك الكبار السطوة والنفوذ والمال، ولا يملكون الفتوة الطبيعية التي لا تصنعها العقاقير..

تقول المرأة:

– «ابن الزانية ينام مع ثلاث فتيات كل يوم، لكنه لم يلمس امرأته منذ عشرة أعوام.. تسألينني كيف أعرف هذا كله.. لا توجد أسرار هنا يا حبيبتي.. ما يدور بين الجدران هو تسليتنا الوحيدة كما تعلمين.. لا تخجلي.. أعرف أنه فعلها معك.. لو أقسمت لي على المصحف أنه لم يفعل لما صدقت.. لن يصبر الحمزاوي بك أكثر من أسبوع على هذه البشرة الناعمة..».

ثم فرغت من الشطيرة فتجشأت بقوة ومسحت فمها وقالت:

– «إنه منحط الذوق أيضًا.. (بيرمرم).. كنت أعمل عنده وأرادني.. أنا قبيحة كالقرد وليس فيَّ ما يجذب أي رجل.. لكنه كان ثملًا وقد طلبني، كأن البلغم احتشد في حلقه واحتاج إلى مبصقة.. لا تستطيع المرأة منا أن تمتنع عن الحمزاوي بك.. لا أعرف السبب.. ربما هو الخوف.. ربما هي سطوته.. فكرة لذيذة أن هذا العملاق الثري يريدك أنت.. المهم أنك تقبلين دائمًا.. لا تقولي يا شابة إن من يفعلن هذا مرغمات طيلة الوقت.. لا وحياتك.. للشرف حدود يتهاوى بعدها.. المهم أن الخنزير انفرد بي لحظات، ثم أدار ظهره لي وقد زالت شهوته فأدرك كم أنا منفرة.. هكذا تقيأ وركلني بقدمه ركلات متتالية حتى ألقى بي من فوق السلم مثل تلك الأفلام

القديمة.. أفلام يوسف بك وهبي.. راح يسبني سبابًا مقذعًا... أنا أعرف أصل وفصل هذا الرجل.. هؤلاء لم يأتوا من السماء.. كلهم جاءوا من أسفل أسفل الطبقات، لكننا وأهلنا كنا أغبياء كالبهائم بينما هم عرفوا كيف يعصرون من الزلط دهنًا.... ».

ثم في ظلام العربة نظرت نحوي وقالت :

- «وأنت يا الجدع..؟.. هل تعمل عند الحمزاوي بك كذلك؟».

قلت لها في حذر وبذات الصوت الخشن:

- «مراد بك..».

حان وقت معرفة شيء جديد عن مراد.. أبي..

أطلقت صهلولة مزقت صمت وظلام العربة وقالت:

- «إذن أنت منهم يا سيد الرجالة!... هئ هئ!.... عرفت هذا على الفور عندما سمعت صوتك الناعم.. ما جمع إلا ووفق!... هي تعمل عند الحمزاوي بك وأنت عند مراد بك. لو حدث العكس لكانت مصيبة.. كان مراد بك سيضربها بالجزمة، وكان الحمزاوي بك سيمزقك بالسياط.. هئ هئ!.... هكذا أنتما آخر انسجام.. الأكابر راضون عنكما!».

كانت معلومات عجيبة. وقد بدأت أتذكر سلوك مراد وأجد علامات استفهام لم ألحظها هنا وهناك..

هل المرأة تطلق إشاعات لا نصيب لها من الصحة، أم إن الأمر كذلك فعلًا؟..

وماذا يهم؟.. مراد هو الرجل الذي يصدر لي الأوامر لأرفضها

ويعطيني المال.. ما أهمية سـلوكه الأخلاقي؟... أنا لسـت مسئولًا عن أخلاق أبي.. لن أناسبه على كل حال....

هنا انخفض صوت المرأة وقالت في الظلام:

ـ «برغـم هذا أنجبـت منه.. لا يأتي العالم سـوى الطفل الذي لا تريدينه وتدعين الله أن تزهق أنفاسه.. ابن حرام فعلًا.. كنت وحدي سـاعة الولادة.. قطعت الحبل السري بسكين صدئة وجدتها جوار الفراش، ثم رفعت الرضيع من قدميه وتأملته.. كتلة لحم ملوثة بالدم المتخثر.. ابن الحـرام يطالب بحقه في الحياة. ابـن الحرام يطالب بالغذاء والهواء والدفء والحنان... لم يكن هناك ما أفعله له..».

هنا فقط علا صوت جرمينال تسأل في قلق:

ـ «ماذا فعلت؟».

تضحـك المرأة.. تضحك.. صدرها يترجـرج بما فيه.. صدرها يتحشرج.. تسعل.. تبصق...

ثم تلقي برأسها إلى الخلف ويتصاعد شخيرها....

ظـلال الطريق تركض على ملامحها القبيحة التي زادتها المرارة وعورة.. طريق حجري آخر محفور على قسماتها...

تتصاعد النشوة في دمي.. دمي يغلي...

كلماتهـا ألهبـت خيالـي.. كل هـذا الألـم.. كل هـذا الشـقاء.. الموت.. القتل....

مـددت يدي واعتصرت يد جرمينال، وعضضت لسـاني من ألم النشوة... هذا كل ما أستطيع عمله الآن......

-٥-

الآن نحن ندخل أرض الأغيار......

العالم الآخر الذي تركناه منذ زمن، يوم توارينا خلف أسوار (يوتوبيا)..

شبرا..

هكذا يطلقون عليها...

شبرا التي لم أرها إلا في أفلام السينما.. للاسم رنين غريب قاسٍ في مسمعي.. لابد أن له رنين سييرا مادري أو ريو جراندي في مسامع الأمريكيين.. تتوقف الحافلة وسط الزحام ويترجل بعض الراكبين، فأشير لـ جرمينال كي تترجل معي.. هنا بداية لا بأس بها..

أين ذهبت تلك المرأة؟.. لا أعرف.. هكذا تذوب الوجوه التي لا اسم لها في الظلام والزحام...

خليط عجيب من الروائح والأصوات والمشاهد.. الرائحة الأولى والرئيسة هي رائحة العرق.. في هذه الرائحة ذابت روائح غريبة من المأكولات والوحل والفضلات البشرية وربما الدماء..

هناك عربات تكدست فوقها أطعمة.. خلائط من الأطعمة.. هناك كومة أرز وكومة من مادة عجينية بيضاء أعتقد أنهم يطلقون عليها اسم (كسكسي) وبرتقال ويوسفي ومشروبات ساخنة لا تعرف ما هي.. منذ زمن صار هناك باعة جائلون للخمور، ولكن أي خمر هذه؟.. زجاجة بحجم الكف ثمنها خمسون جنيهًا مع كل هذا التضخم!.. لو كان هذا بولًا لكان سعره أكثر من ذلك.. زجاجات عطر قديمة امتلأت بما لا يمكن معرفة كنهه.. أعتقد أن الكحول الأحمر عامل مشترك بين كل هذه السوائل.. قال مراد إن هذا - بيع الخمر في الشارع - كان عملًا لا يمكن تصوره منذ عشرين عامًا، لكن الأخلاق تتآكل في الفقر كما يتآكل المعدن الذي يقطر فوقه الماء..... والأغرب أن الكحول الميثيلي لا يصيب هؤلاء القوم بالعمى كما يفعل في العالم كله.. لو كانت معدتهم من حجر، فكبدهم من فولاذ وعصبهم البصري كابل كهرباء..

الشطائر مشكلة أخرى... كومة من الشطائر.. شطيرة مليئة بما يزعمون أنه كبدة وثمنها عشرون جنيهًا!... لو كانت هذه أكباد فئران لما أمكن بيعها بهذا السعر...

الخلاصة التي توصلت لها بعد دقيقة في هذا العالم هو أن هؤلاء القوم يتظاهرون بأنهم أحياء.. يتظاهرون بأنهم يأكلون لحمًا ويتظاهرون بأنهم يشربون خمرًا، وبالطبع يتظاهرون بأنهم ثملوا وأنهم نسوا مشاكلهم... يتظاهرون بأن لهم الحق في الخطيئة والزلل..

يتظاهرون بأنهم بشر...

* * *

الآن فقط أفهم لماذا عزلنا أنفسنا في (يوتوبيا).. لم يعد في هذا العالم إلا الفقر وإلا الوجوه الشاحبة التي تطل منها عيون جاحظة جوعى متوحشة.. منذ ثلاثين عامًا كان هؤلاء ينالون بعض الحقوق، أما اليوم فهم منسيون تمامًا.. حتى الكهرباء والماء مشكلة فردية لكل منهم.. من استطاع أن يحصل على مولد أو يحفر بئرًا فبها ونعمت، وإلا فعليه أن يتحمل..

الغريب أنهم تكاثروا بسرعة لا تصدق.. معدل الخصوبة عندنا في يوتوبيا يوشك أن يصير صفرًا، بينما معدلاتهم في ارتفاع متزايد.. ينجب الرجل عشرة أطفال يموت منهم خمسة لأنه لا توجد عناية طبية من أي نوع، لكن الزيادة مستمرة برغم كل شيء.. يبدو أنهم يعتمدون على الأعشاب والوصفات الشعبية اعتمادًا مطلقًا.. أبي يحتكر كل الدواء في السوق وأسعاره خيالية، لكن هناك دائمًا من يشتري.. لغز هذا البلد هو أن هناك من يشتري في كل وقت وبأي سعر؛ وهو ما يثبت لك أن (ماركس) أحمق على الأرجح عندما تصور أن التوازن سيأتي في لحظة لا يعود فيها الفقراء قادرين على الشراء..

بعض هؤلاء القوم متدين؛ لأن الدين هو الأمل الوحيد لهم في حياة أفضل بعد الموت.. لا يمكن أن يتعذب المرء طيلة حياته، ثم يموت فيتحول إلى كربون بلا ثواب ولا عقاب.. عندنا في يوتوبيا متدينون كثيرون والطائرات الذاهبة للعمرة لا تتوقف، لكن السبب – كما أعتقد – هو خوف سادة يوتوبيا من أن يفقدوا كل شيء في لحظة. أن يصحوا ليجدوا أنفسهم وسط هذا الزحام يبتاعون شطائر من كبد الفئران ويشربون الكحول الأحمر.. إن الأمر يحتاج إلى عدد كبير من

العمرات والأدعية كي تتجنب هذا المصير الأسود.. الخلاصة أنه من العسير اليوم أن تجد متدينًا بغرض التدين في حد ذاته...

* * *

«واصل المعتمرون المصريون عمليات الهروب الجماعي المنظم داخل الأراضي السعودية، وفوجئ العاملون بأحد فنادق مدينة مكة المكرمة ومندوبو الشركة المنظمة للرحلة يوم الخميس الماضي بهروب جميع المعتمرين المقيمين بالفندق، البالغ عددهم ٧٢ معتمرًا ليلًا دون أن يشعر بهم أحد أو يشاهدهم أثناء خروج متعلقاتهم الخاصة. قال أسامة العشري وكيل وزارة السياحة: الغريب في الواقعة الثانية أن المعتمرين تركوا جوازاتهم وتذاكر السفر عكس الواقعة الأولى التي قام فيها المعتمرون بالاعتداء على سائق الأتوبيس ومندوب الشركة المنظمة للرحلة؛ للحصول على جوازات السفر..».

موقع مصراوي بتاريخ ٢٦-٨-٢٠٠٧

* * *

كنا نمشي وسط الجموع ذاهلين.. علينا ألا نلفت الأنظار لنا، لكني شعرت بضخامة هذه المغامرة التي ألقينا بنفسينا فيها..

تشد جرمينال يدي في عصبية فأنظر إلى حيث تشير.. هناك قفص خشبي عليه أكوام من جلود الدجاج بشعة المنظر.. المصيبة أن الناس يبتاعون هذه الأشياء.. أقاوم العصارة التي ارتفعت إلى حلقي وأجرها بعيدًا.. سوف تفضحنا بطريقتها الانفعالية الهستيرية هذه.. لو دقق أحدهم في وجهنا لرأى أننا لم نعرف الجوع يومًا..

البائع ينادينا:

ـ «تعالَ يا أخ.. من متى لـم تطهُ الخضـار على (زفر)؟.. هذه الجلود تؤدي الغرض تمامًا..».

يرفع سلخة من الجلد ويلوح بها على سبيل الترغيب.....

يبـدو أن أرجـل الدجاج رائجـة كذلك.. الـرءوس.. الأجنحة.. لكن أين الدجاج نفسه؟.. حتى دجاجهم تحول فيما يبدو إلى عظام يكسوها الجلد فقط.. لا عضلات ولا أحشاء..

طفل ضال أجرب يلتقط شيئًا من على منصة بيع ويفر به؛ فتلاحقه اللعنات وتتطاير الشباشب خلفه..

أكـوام مـن الثيـاب المتسخة المستعملة تبـاع بمائة جنيـه للقطعة.. هناك من يقول إن الجنيه كان أعلى سعرًا من الدولار يومًا ما.. لا أصدق هذا وقد صار الدولار يساوي ثلاثين جنيهًا.. هذا نموذج مخيف للتضخـم؛ لأن ثمن هذا القميص لن يتجاوز ربـع دولار بحـال. لسبب كهذا، تجد أن أسعار الأشياء تُحدد بمئات الجنيهات. وأعتقد أنهم يفضلون المقايضة على كل حال باعتبارها أقرب للحقيقة.

الآن نخـرج من منطقة السـوق هذه كي نتوغـل بين مجموعة من العشش الصفيح، أو المصنوعة من البامبو وبقايا الأخشاب.. الأرض مبتلة تغوص فيها قدماك.. مزيج من الوحل وبقايا الغسيل والمجاري الطافحة.. أمشي في حذر لأن التعثر هنا نوع من الانتحار..

٥٢

على أبواب العشش تقف نساء قذرات بشعات المنظر يضحكن لي في إغراء.. أعتقد أن أصغرهن تجاوزت الخمسة والثلاثين منذ زمن، لكنها لا تمارس مهنتها بسبب تأخرها في الزواج؛ بل من أجل المال..

على قدر علمي لم يصدر أي قانون بإباحة البغاء، لكنه صار ظاهرة حقيقية.. صار أقوى من القانون.. أقوى من العرف...

أعرف أن سن الزواج كانت قد صارت أربعين عامًا للفتاة ولم تعد هناك سن زواج للرجل، ثم حدث أحد الانقلابات الاقتصادية إياها فصارت شروط الزواج أسهل.. يكفي أن تجد من تقبل بك؛ وعندها لا داعي للسكن ولا الراتب.. سوف يُغْنى كل واحد بنفسه والأطفال سوف يجدون رزقهم بشكل ما.. هكذا انخفضت سن الزواج من جديد..

* * *

كان هذا كله أقبح من اللازم..

أبشع من اللازم..

أكثر واقعية مما يجب...

عندما يزحف القبح والعطن على كل الإثارة التي يولدها الخيال.. تلتف الغصون الشائكة الطفيلية حول الثمار، وتزحف العقارب بين اللآلئ...

كان اسمها كاتي.. أمريكية هي.. أول فتاة عرفتها.. في سن الثالثة عشرة، كانت هي الحلم الرومانسي الأبدي.. كانت أكبر من

الحياة ومن الواقع، ثم ظفرت بها في تلك الليلة فوق رمال الشاطئ المبتلة.. عندها ماذا عرفت، وماذا رأيت، وماذا شممت؟.. هويت من قمم الأوليمب لأزحف في الوحل، وعرفت أن الواقع أقبح مما تتصور...

يجب أن ننتهي من مهمتنا ونرحل.. فلنختطف من نختطفه ونفر...

فتاة تنظر لي وتغمز بعينها غير مبالية بجرمينال التي تمشي جواري..

هنا خطرت لي فكرة..

هنا صيد سهل هش، بينما الذكور يمكن أن يكونوا خطرين.. هم بالتأكيد خطرون..

يبدو أن جرمينال فهمتها هي الأخرى فابتعدت عني.. هكذا مشيت وحيدًا إلى حيث الفتيات الواقفات يبحثن عن طالب شهوة، فانتقيت بعيني واحدة منهن.. لم أخترها إلا على أساس قوتها الجسدية.. سيكون عليها أن تتحمل مطاردة عنيفة بالسيارات وسط الصحراء..ربما تصير هدفًا للرماية..

فتاة بشعة المنظر لا يميزها عن الذكر إلا فارق تشريحي واهٍ.. عريضة المنكبين، ضخمة العظام.. لو ألصقتْ شاربًا لصارت تشبه (مراد).. بالتأكيد هي تصلح..

ونظرت إلى ساعدها في شغف.. نعم.. حجمه مناسب وفيه خشونة تدل على مصدره.. لن يكذبني أحد في جلسات المزاج

عندما أفتح الكيس البلاستيكي لأعرض عليهم هذا الساعد.. لقد سخروا من رامي واتهموه بأنه ابتاع اليد من حارس مقابر، والسبب أنها كانت ملساء منمقة..

دنوت منها فاعتدلت في وقفتها وضحكت كاشفة عن أسنان صفر لم تغسل منذ أعوام.. فقلت لها بلهجة الخبير:

ـ «كم؟».

بصوت مبحوح ممزق للأعصاب يذكرك باحتكاك (الفوم) الذي يغلف الأجهزة الكهربية:

ـ «أنا آخذ خمسينًا.. الليلة كلها بمائتي جنيه..».

ـ «أين؟».

ضحكت في رقاعة ثم أشارت إلى المباني المهدمة من حولنا وقالت:

ـ « في القصر بتاعي يا عين أمك.. أي مكان.. ».

مددت يدي في جيبي، لكنها قالت بلامبالاة:

ـ «ليس أنا.. بل هو..».

وأشارت إلى الخرائب.. طبعًا لابد لها من قواد يحميها ويستولي على مالها..

ـ «إنه عمي..».

نظرت للوراء فوجدت جرمينال تراقب الموقف من بعيد.. هكذا جذبت الفتاة من معصمها ومضينا نتوغل وسط الخرائب المظلمة.. من حين لآخر، تقابل بعض الفتية جالسين القرفصاء يدخنون البانجو

كريه الرائحة.. أو يمسكون بعلبة لا أعرف محتواها يشمون ما بها..
ومن حين لآخر ينادينا أحدهم:

ـ «اتفضل!».

يبـدو أنهـم يعرفون الفتـاة فلـم يتعرضـوا لنا..إنها امـرأة عاملة
تمارس مهام وظيفتها؛ فليس من حسن الأدب أن يضايقها أحد....

ـ «ها هو ذا أمامك..».

ونظرت فإذا برجل ضخم الجثة أشيب الشعر يقف جوار عمود
نـور مائل.. في حزامه مدية عملاقة وفي قبضته سـيف اصطنعه من
(سوستة) سيارة.. أعتقد أنهم يطلقون عليه اسم (سنجة).. له عين
تالفة تغطيها سحابة بيضاء، وهناك جرح يقطع وجهه بالطول.. يبدو
أقـرب إلـى البلطجي منـه إلى القواد، لكـن عندما نتكلـم عن حثالة
البشر فلا فارق بين(موديل) وآخر.....

دنوت منه وأنا أمسك بمعصم الفتاة، وقلت في خشونة:

ـ «مرة واحدة..».

وأخرجت من جيبي خمسين جنيهًا..

عَدَّها عدة مـرات كأنما هـو يجرد محتويـات خزانـة الولايـات
المتحدة، ثم بصق جانبًا ودس المال في حزامه.. ومن جديد لم يبدُ
أنه يرانا أصلًا...

سألتني الفتاة وهي تفك تنورتها:

ـ «هنا؟».

ـ «أفضِّل الابتعاد فأنا خجول..».

أطلقتْ صهلولة عالية رقيعة ومضت معي...

فقط بطرف عيني، كنت أنظر للخلف فأرى جرمينال تحاول اللحاق بنا خائفة متعثرة.. وسط هذه الخرائب والفئران لابد أنها تعيش أسوأ لحظات حياتها....

وأخيرًا صرنا وحدنا تقريبًا. فتحت الفتاة فمها لتتكلم:

ـ «هلم انتهِ الآ.......».

لكني في اللحظة التالية انهلت على جذور عنقها بضربة سيف يد تعلمتها عندما زرت (كمبوديا)؛ فسقطت على الأرض بلا حراك.. فقط عيناها شاخصتان...

وفي اللحظة التالية سمعت جرمينال تناديني.. بمعجزة ما اخترقت الخرائب بكل المتعاطين المتجمعين فيها..

قلت لها لاهثًا:

ـ «انتهى الأمر.. سأطلب أمي كي ترسل من يخرجنا من هنا..».

ومددت يدي في جيبي لأخرج المدية التي سأنجز بها مهمتي...

في هذه اللحظة سمعنا حركة.. رفعت عيني فرأيت عشرة من هؤلاء الشباب يحيطون بنا.. وسمعت من يقول:

ـ «إنهما ليسا منا!... هذان من يوتوبيا!».

الجزء الثاني

الفريســـة

-١-

قرنيتي الحبيبة.. وحلم ما بعد الجنس...

أعرف أنني سأموت بعد يومين فلا تقل العكس.. لا تكرر هذا الهراء وإلا طعنتك بمطواتي. دعني أحلم مرة أخيرة.. أنا لم أفعل هذا منذ زمن.. قرنيتي الحبيبة.. وما بعد الجنس...

منذ متى ضاع كل شيء؟

لا أعرف..

يشبه الأمر مراقبتك للشمس ساعة الغروب.. لا تعرف أبدًا متى انتهى النهار وبدأ الليل.. متى بهت الضوء وبردت الأشياء، ومتى تسرب دم الشفق الأحمر يلوث الأفق، ولا متى ساد اللون الأرجواني كل شيء.. لا يمكنك أن تمسك لحظة بعينها.... ليس بوسعك أن تقول: هنا كان النهار، وهنا جاء الليل...

فقط أذكر أن الأمور كانت تسوء بلا انقطاع.. وفي كل مرة كان الفارق بين الوضع أمس واليوم طفيفًا؛ لذا يغمض المرء عينه كل ليلة وهو يغمغم: أهي عيشة..ما زالت الحياة ممكنة.. ما زال بوسعك أن تجد الطعام والمأوى وبعض العلاج.. إذن فليكن غد..

ثم تصحو ذات يوم لتدرك أن الحياة مستحيلة، وأنك عاجز عن الظفر بقوت غد أو مأواه..

متى حدث هذا؟.. تسأل نفسك فلا تظفر بإجابة....

* * *

الموعد كان منتصف الليل..

أشق طريقي بين العشش العتيقة التي كانت فيما مضى تشكل شارع (شبرا). نعم.. أذكر أنه كان هنا شارع واسع تمشي فيه السيارات على الجانبين.. تراهنت مع (زينهم) على أنه كانت هنا سينما يومًا ما. ابن الكلب لا يعرف معنى سينما أصلًا، لكنه يجادل بالباطل.

بصراحة، أنا أيضًا لا أذكر إن كانت هنا سينما أم لا.. لكني على الأقل أذكر ما هي السينما.. كانت هناك صور عملاقة جدًّا تتحرك، وكان هناك ظلام يمكنك فيه أن تدخن الحشيش بسهولة.. يبدو أنه كانت لي تجربة أو اثنتان فيها لكني لا أذكر مع من..

الموعد كان منتصف الليل..

باب المترو المغلق.. أنا أعرف كيف أفتحه.. فقط أدس رأس المسمار في القفل الحكومي الصدئ، وأدق بحجر فينفتح القفل فالجنزير. هذا المدخل يعرفه كل أولاد الليل مثلي. لكننا نحرص على أن نغلقه عند الخروج. لا نريد أن يتمكن أحد من دخول عالمنا السري تحت الأرض..

أزيح الستار الحديد وأنسل إلى الداخل.. الممرات المظلمة الخالية عطنة الرائحة..

أشعل مشعلًا وأرفع يدي لتتسع دائرة النور..

هناك تقف عربات المترو الخربة كوحوش هامدة.. لقد انتهى أمرها منذ كَفَّ السادة عن استعمالها ورحلوا إلى مستعمراتهم.. يوتوبيا وسواها... لم تعد هناك صيانة.. لم تعد هناك كهرباء.. في النهاية وقفت هذه الوحوش الصدئة النائمة للأبد، ومن الواضح أنها لن تتحرك ثانية.. بعض الشباب لا يعرفون أنها موجودة أصلًا..

في زمن ما كانت هذه العربات فائقة الشهرة، وكان هذا أعظم إنجاز للحكومة منذ دهور. لا أعرف متى تداعى وانهار. لكنه تزامن مع ميلاد يوتوبيا على الأرجح. أعتقد أن الناس نعموا بهذا المشروع خمسين عامًا أو أقل.. بعده صار مأوى للكلاب الضالة..

ثم لم تعد هناك كلاب ضالة.

لم يعد سوانا..

قرنيتي الحبيبة.. وحلم ما بعد الجنس... أواه!....

هناك كانوا يقفون.. (عبد الظاهر) و(متولي) و(محروس) و(مينا)...

عرفوني من مشيتي العرجاء ومن قامتي؛ فهتف (مينا):

ـ «سلام يا (جابر).. والمسيح الحي انتظرناك كثيرًا».

لا يمكنك أن تعرف دين أي واحد هنا ما لم ينطق بقسم من نوع (المسيح الحي)، أو يصلِّ على رسول الله، فحتى الأسماء صارت عادية محايدة لا تدل على شيء.. (فريد).. (عوض).. (عماد).. إلخ. لو كانت هناك مزية وحيدة لمجتمعنا هذا فهي أنه لا يعرف

٦٢

شيئًا اسمه التفرقة الدينية. لقد تحققت جنة المساواة الطائفية، ولكن بشكل عجيب لم يدر بذهن أكثر الفلاسفة جموحًا.. منذ انتهى عصر البترول وبدأ عصر البايرول، ومنذ عاد كل المصريين من الخليج، ومنذ ساوى الفقر بين الجميع، انتهى تأثير النفط على الفكر المصري، ولم يعد أحد يعرف إن كنت مسلمًا أو مسيحيًّا إلا عندما تعلن أنك ذاهب لعمرة، أو ينكشف ساعدك ليظهر وشم الصليب.. لولا انتهاء عصر البترول لاشتعل الوضع الذي كان مرشحًا للانفجار في أوائل القرن الواحد والعشرين...

هتف (عبد الظاهر) في وجهي:

- «هل معك (فلوك)؟».

أطلقت صوتًا نابيًا من خياشيمي.. (فلوجستين) معي أنا؟.. هؤلاء البلهاء لا يستطيعون نطق اللفظة كاملة؛ لذا قرروا أنه (فلوك)...

- «من أين يا بن الـ...؟».

ثم دسست يدي في جيبي وأخرجت سيجارة ملغومة وقذفتها له:

- «هذه معي..».

أطلق صوتًا نابيًا آخر وهتف:

- «جميل.. عدنا لأيام الروضة.. ».

لكنه أشعلها برغم كل شيء وأطلق سحابة كثيفة من الدخان.. لم يعد شيء بقادر على التأثير في هذا الجهاز العصبي، فلا شك أنه بحاجة إلى طن من الحشيش كي يشعر بانبساط وقتي. الفلوجستين.. الفلوجستين هو سيد المخدرات، لكن من أين لنا به؟ هناك في يوتوبيا

تسيل أنهار الفلوجستين.. إنهم يأكلونه ويشربونه.. إنهم يعرقونه.. إنه طمث النساء وبول الرجال.. صنابير الماء لا ينزل منها ماء، بل فلوجستين.. يغسلون أقدامهم في الفلوجستين.. يسقون كلابهم فلوجستين.. لو حدثت ثورة يومًا ما فلن تكون من أجل المساواة؛ بل من أجل مطالبة المحرومين بحقهم الطبيعي في الفلوجستين..

(عبد الظاهر) بلطجي لكنه جدع.. أعترف أنني أحبه وأثق به. خاصة عندما لا يساوره ذلك الهاجس المرضي، ويروح يحكي لنا خطته بصدد البايرول ويوتوبيا.. أنا أعتبر هذه الخواطر نوعًا من الاستمناء الفكري. هو لم يفعل شيئًا.. لن يفعل شيئًا على الإطلاق.. لذا يقضي الوقت في وصف المتع الجهنمية التي تنتظره لو نفذ خطة البايرول تلك..

قال (متولي) وهو يسلِّك أذنه بإصبعه:

ـ «سليمان ينتظرنا هناك.. عند فتحة (سانت تريز)..».

كانت اللافتات الصدئة المتسخة لا تقول أي شيء على الإطلاق.. لكننا صرنا قادرين على تحديد اتجاهاتنا في ضوء اللهب المتراقص.

هكذا وثبنا إلى عربات المترو التي لـم يعد فيها مقعد واحد ولا لـوح زجاج واحد، ومنها وثبنا إلى القضيب ثم إلى الجهة الأخرى، ورحنا نركض في الظلام قاصدين تلك الفتحة..

هنا رأيناهم..

كانوا خمسة يقفون هناك وقد أدركنا على الفـور أنهم (بيومي) وشلته.

وسطهم على ضوء المشاعل، رأينا واحدًا ممزق الثياب مذعورًا والدم يسيل من أنفه..

لقد قبضوا على سليمان..

* * *

يمكن أن يتحمل المرء الحياة بلا مأوى..

بلا مأكل..

بلا مشرب (ربما بضعة أيام)..

بلا ثياب..

بلا سقف..

بلا حبيبة..

بلا كرامة..

بلا أسرة (باستثناء صفية)..

بلا ثلاجة..

بلا جهاز هاتف..

بلا جهاز تلفزيون..

بلا ربطة عنق..

بلا أصدقاء..

بلا حذاء..

بلا سراويل..

بلا فلوجستين..

بلا واقٍ ذكري..

بلا أقراص للصداع...

بلا مؤشر ليزر..

لكنه لا يتحمل الحياة بلا أحلام..

منذ طفولتي لم أجرب العيش بلا أحلام..

أن تنتظر شيئًا.. أن تُحرم من شيء.. أن تغلق عينيك ليلًا وأنت تأمل في شيء.. أن تتلقى وعدًا بشيء..

فقط في سن العشرين أدركت الحقيقة القاسية، وهي أن عليَّ أن أحيا بلا أحلام..

لن يكون هناك شيء يا صاحبي.. لا اليوم ولا غدًا ولا بعد يوم..

حياتك حاضر طويييييييـــــ(ماذا تنتظر؟)ـيييييــــــ(لا شيء) ـــــــييل قاسٍ..

فقط في هذه اللحظات أدركت أن عليَّ أن أخوض حربًا مريرة مع ذلك الطفل المزعج في داخلي.. الطفل المزعج يصرخ ويركل الأرض بقدميه: «لا أحلام؟.. كيف؟».

ثم ينطلق في سباب بذيء ويضربني ويعضني، لكني في كل ليلة أصفعه وآمره أن يخرس.. لا أحلام يا ابن الـ (...)... لن يكون هناك غد.. الغد أخذوه منك وعليك أن تقبل كما قبلت ألا يكون عندك مأكل أو مشرب أو ثياب أو سقف أو حبيبة أو كرامة أو أسرة

أو ثلاجـة أو هاتـف أو تلفزيون أو ربطة عنـق أو أصدقاء أو حذاء أو سـراويل أو فلوجسـتين أو واقٍ ذكري أو أقراص للصداع أو مؤشـر ليزر..

....

يطلق المزيد من السباب البذيء ثم ينام...

حاضـر طويـيـيـيـيـيـ (مـاذا تنتظـر؟) ـيـيـيـيـ (لا شـيء) ـــــيـيل قاسٍ..

* * *

لم أكن الأشجع ولا الأقوى.. لذا تقدم (عبد الظاهر) منهم وهو يلوح بالسنجة التي يحملها، وقال بصوت أراد أن يكون قويًّا فخرج متوترًا متحشرجًا:

ـ «مـاذا تريـد يـا (بيومـي)؟.. منـذ زمـن نحـن كقطاريـن علـى قضيبين.. يتحركان عكس بعضهما لكنهما لا يلتقيان..».

أطلق بيومي سبة، وانفجر ضاحكًا.. بصق وقال:

ـ «مـن لكم بمعرفـة القطارات يا أولاد العاهـرات؟.. أنا أذكرها جيدًا وركبتها أكثر من مرة.. كانت القطارات لا تلتقي إلا عندما تقع حادثة، عندها كانت الجثث الممزقة والدماء تغطي الحقول!».

كان كلامه واضحًا.. لقد تجاوز حد التلميح..

مد يـده في الجوال الذي يحمله (سـليمان) وأخرج جثة الكلب العمـلاق.. رفعه من عنقـه برغم وزنه الثقيل، ورأيـت العضلة ذات الرأسين تتكور مبللة بالعرق لامعة في ضوء اللهب:

ـ «هذه المكالمة لنا.. هذا يلزمنا.. ».

لـم نكـن لـنتحمل هذا أيضًـا.. المعدة خاويـة والجائـع مجنون..
بعد كل هذا الجهد، يضيع منا الكلب الذي ظللنا ننصب له الكمائن
ثلاثة أيام؟..

متـى يمكن أن تجـد كلبًـا آخر؟.. لـم تعد هنـاك كلاب في
الشـوارع على الإطـلاق.. لا قطـط.. لا فئـران.. نشـوة الشـواء
في الخرائب والمزاح مـع أنفاس الحشـيش.. و(صفية) التي لم
تـذق أكلة محترمة منذ شـهر... كل هذا كان ينتظرنـا لو لم نرَ ابن
الـ(.....) هذا..

هنا فقد (عبد الظاهر) أعصابه وصرخ بصوت ارتجت له ممرات
المترو:

ـ «سـترون يـا أولاد الـ(...)!.. هـذا الكلـب لنـا.. لنا وحدنا
وسنموت على جثته!».

وعلى الفور، وثبنا جميعًا لنلتحم بهؤلاء الأوغاد...

- ٢ -

سأموت خلال يومين أو ثلاثة..

تسألني كيف عرفت هذا؟.. أقول لك إنه لا فرصة للنجاة أمامي.. أنا ولدت خاسرًا ولسوف يظفر بي الفتى القادم من (يوتوبيا) لا محالة..

لهذا أتذكر.. لهذا أمرر مذاق حياتي على لساني كما يمرر المرء مذاق النبيذ المر بعدما فرغت الزجاجة..

أتذكر أشياء وأماكن ووجوهًا وكلمات وأبيات شعر وكتبًا وروائح، لكني في أغلب الأحوال أتذكر نساء...

* * *

اسمها كان (عزة)...

لماذا أتذكرها الآن؟

(عزة) كانت تبيع الخبز على ناصية حارتنا..

(عزة) تضحك.. (عزة) تهتز.. (عزة) تقطب.. (عزة) تغمز.. (عزة) تنتشي.. (عزة) تتشاجر.. (عزة) تتلوى.. (عزة) تهمس... (عزة) تبتسم.. (عزة) تفكر..

(عزة) تبيع الخبز..

قالت لي مرارًا:

ـ «أنت تقرأ كثيرًا.. أنت مجنون..».

قلت لها إن القراءة بالنسبة لي نوع رخيص من المخدرات. لا أفعل بها شيئًا سوى الغياب عن الوعي. في الماضي – تصور هذا – كانوا يقرءون من أجل اكتساب الوعي. حكيت لها عن كثير عزة فقالت لي:

ـ «إتنيل».

فتنيلت..

قالت لي إنه مفترس.. إنه يغار عليها.. إنه يحمل مطواة قرن غزال يمكنه أن يرشقها في زجاج نظارتي. (السرجاني) الضخم يشتهيها.. يعتقد أنها له. بعد أن ينالها قد يضمها إلى سمية..

وجاء اليوم المحتوم الذي انتظرناه في رعب.. أنا أردت أن أعرف.. هي أرادت أن تعرف.. السرجاني أراد أن يعرف..

لا أذكر سوى أنه كان ينفخ من منخريه كالثور.. لا أذكر سوى أنه كان يمزق لحم ساعديه وصدره بنصل مطواته بلا سبب واضح، فقط ليريني أنه لا يخاف شيئًا...

لا أذكر سوى الطعنة.. شق يبدأ من الجفن العلوي ويمر بالقرنية وينتقل إلى الجفن السفلي..

لقد فقدت قرنيتي.. البلهاء يقولون: (عينه باظت)؛ لأنهم لا يعرفون ما هي القرنية.. أنا أعرف أشياء كثيرة.. حتى والنصل يمزق عيني، كنت أدرك الفارق التشريحي بين القرنية والعين كلها.

برغم هذا أعترف أنه جرح نفسه الكثير من الجراح.. لو حسبت المهزوم بكمية الدم التي سالت منه فهو قد هزم. صحيح أنه من جرح نفسه بنفسه.. لكن العبرة بمن ينزف أكثر.. حمله رفاقه ليبعدوه وهو يخور كالثيران متوعدًا إياي بالمزيد.. لابد أن الخمر لعبت برأسه جدًّا..

قلت لها وهي تضمد عيني النازفة إنني أشتهي قبلة..

قالت لي:

- «إتنيل.. عينك باظت».

ضحكت برغم الألم.. برغم الدم الذي سال ليملأ فمي في وضعي الراقد وقلت:

- «ليست عيني.. قرنيتي فقط».

* * *

اسمها كان (نجاة)..

لها عين يمنى تالفة مثلي..

كانت بلا عمل سوى أن تسرق أشياء من الباعة.

زوجها تركها لأنه حاول مرارًا أن يقنعها بأن (تفتح مخها)، لكنها رفضت في إباء.. هناك كنز في الدار يمكن أن يكفل له حياة طيبة، لكن الكنز يرفض أن يباع..

جاءها ذات ليلة ثملًا ومعه ثلاثة من رفاقه، ثم تركهم في العشة معها وخرج بلا سبب واضح.. لكنها خرجت وراءه وأغلقت

العشة عليهم من الخارج وملأت الحارة صراخًا وعويلًا، وسرعان ما اكتشف كل واحد من الجيران في نفسه مدافعًا محمومًا عن الأخلاق.. هناك في العشة لحم بشري ثمل عاجز عن المقاومة ينتظر من يصفعه ويركله ويبصق عليه. وقد فعل الجيران هذا في حماس..

لم يجرؤ زوجها على العودة؛ لأنه ضعيف الجسد والشخصية أمامها..

(نجاة) تضحك.. (نجاة) تهتز.. (نجاة) تقطب.. (نجاة) تغمز.. (نجاة) تنتشي.. (نجاة) تتشاجر.. (نجاة) تتلوى.. (نجاة) تهمس... (نجاة) تبتسم.. (نجاة) تفكر..

(نجاة) تسرق الأسماك من الباعة وتكوِّن تجارتها الخاصة.. كان هذا قبل أن يسرق سمكها وغد من (البدرشين)..

(نجاة) تقول لي:

- «تزوجني يا جابر.. سأكون خادمة تحت قدميك».

قلت لها إن الناس يجب ألا تتزوج إلا لكي تأتي للعالم بمن هو أفضل.. طفل أجمل منك.. أغنى منك.. أقوى منك..

ما جدوى أن يتزوج الشقاء من التعاسة؟.. الهباب من الطين؟..

ما الجديد الذي سنقدمه للعالم سوى المزيد من البؤس؟

قلت لها: إنهم في يوتوبيا يستحقون الزواج والإنجاب.. قالت: إنهم فاسدون وأولاد كلب.. قلت لها: إنهم هم من يحدد معنى الفاسدين ومن هم أولاد الكلب حقًّا؛ لهذا من حقهم أن يتزوجوا وينجبوا..

ـ «كل من يملك عشاء ما بعد عامين من الآن؛ يستحق أن يتزوج وينجب».

اسمها كان (نجاة)..

لها عين يمنى تالفة مثلي..

هـل وجدت معهـا متعة ما؟.. لا أذكر.. فقـط أعرف أنني أحتاج لها الآن..

* * *

اسمها كان (عواطف)...

لماذا أتذكرها الآن؟

عواطـف كانت ممرضة قبل أن تتوقـف رواتبهن وقبل أن يجدن أنه لا جدوى من العمل.. أكثرهن عملن طبيبات يعالجن مقابل مال زهيد. ما كن يعالجن به هو خليط من الأعشاب والعسل والوصفات البلديـة، وأحيانـا بعـض الأدويـة التـي يروجهـا سـكان يوتوبيا ولا يستعملونها أبدًا.. أحيانًا بعض الأدوية المهمة فعلًا ، تلك التي كان العاملـون هناك يسـرقونها لنـا وتباع بثمن باهـظ ، ومنها المضادات الحيوية والمسكنات.

(عواطـف) تضحـك.. (عواطف) تهتـز.. (عواطـف) تقطب.. (عواطـف) تغمـز.. (عواطـف) تنتشـي.. (عواطـف) تتشـاجر.. (عواطـف) تتلـوى.. (عواطـف) تهمـس... (عواطـف) تبتسـم.. (عواطف) تفكر..

(عواطف) تعالج عيني..

(عواطف) تقول إنها تحب الرجل الذي يتشاجر ويفقد عينه من أجل امرأة..

(عواطف) تقول إن من قابلتهـم من رجال كانوا على اسـتعداد للتضحية بها مقابل عقب سيجارة..

(عواطف) تقول إنني رجلها..

(عواطف) تقول إنني أذكرهـا بطبيـب أحبتـه يومًا، ثـم أدمن المورفين ومات بجرعة زائدة..

(عواطف) سمراء جميلة.. كانت جميلة.. الجوهرة التي اعتنت الطبيعة بصقلها وتجميلها لتلبسـها الأميـرات، فسقطت في الوحل.. التقطها كلب أجرب بين أنيابه وراح يجري.. ويجري..

وأنا أطارد الكلب ليس من أجل الجوهرة..

بل لأنني جائع.. والله العظيم جائع..

-٣-

الضربات تتطاير في كل صوب..

ضربـات.. طعنـات.. ركلات.. بصقـات.. شتائم.. قبضات.. نصال.. عرق..

أنـا ضعيف جـدًّا.. أنا لا أملك ما يمكنني مـن مواجهة موقف كهـذا.. فقـط أتظاهر بأنني أقاتـل على طريقة (كـداب الزفة)، لكني أعـرف حـدودي وأعرف أنني لهـذا السبب بقيت حيًّا.. يجب أن تلتصـق بالعصابات.. تلتصق بالأقوياء الذيـن يأخذون ما يريدون.. يجب أن تكسب مودتهم وتقنعهم أنك ضروري لهم، لكن لا تلتصق بهم أكثر من اللازم فتفقد حياتك عندما يفقدونها..

أنا جربت حظي مع البطش وفقدت قرنيتي. هذا يكفي المرء في حياة واحدة. لن تكون خسارتي قرنية وأنفًا أو قرنية وذراعًا..

ضربـات.. طعنـات.. ركلات.. بصقـات.. شتائم.. قبضات.. نصال.. عرق..

عندما أدرك أن كفتنا هي السفلى أقرر الفرار..

أسـتدير وأنسى كل شيء عن لحم الكلب المشـوي.. أثب إلى قضيب المترو وأركض في الظلام.

٧٥

لو حالفني الحظ لوجدت الممر الذي يقودني إلى الخارج.

هناك من يصرخ من خلفي:

ـ «انتظر!».

لا أعرف هل هو من رفاقي يلومني على نذالتي، أم هو من أعدائي يريد أن يلحق بي لينتزع عنقي.. سيان.. فقط أنا أركض ولا أنظر إلى الخلف..

في يوتوبيا لا يأكلون الكلاب.. يربونها للتدليل وللحراسة..

كنا مثلهم يومًا ما، ثم تعلمنا أنها مصدر رخيص للبروتين. لو حدثت الثورة يومًا ما فلسوف نبدأ بالتهام كلابهم المدللة السمينة كلها.

هـذا هو الممـر.. أركض فيه وأتعثر. لقد فقدت المشعل، لكني أحفظ طريقي على كل حال.

هناك ملصق قديم لأحد أجهزة المحمـول.. عرض خاص من شـركة مـا.. كان هـذا عندمـا كانت هناك شـركات محمول قبل أن يستولي عليها جميعًا (منصور بيه) ملك الاتصالات، وبالطبع لم يعد أحد يهتم بأن نستعمل هذه الأجهزة على الإطلاق، لكن الشبكة تغطي هذا الجزء من مصر على كل حال..

هناك ملصق آخر عن السمن..

هنـاك ملصـق عليه فتاة حسناء شـبه عارية، قام أحدهم بتشـويه ملامحها وتسويدها.. يومًـا مـا فعل أحدهم هـذا، وزعـم أنه فعله مـن أجل الحفاظ على الأخـلاق. الحقيقة أنه اغتصاب رمزي لتلك الحسـناء، لكن الحرمان الجنسي لم يعد من مشـاكلنا اليوم (وهذا غريـب).. مـع كل هذا الفقر انهار حاجز الأخـلاق، وصار الجنس

أسهل شيء يمكنك الحصول عليه.. الجنس مقابل أجر تافه، فإن لم يكن فهو الاغتصاب..

لكنني برغم هذا ظللت أصبو لشيء آخر.. أصبو لما بعد الجنس.. الشيء الذي يجعلك بعد إفراغ شهوتك تظل جالسًا جوارها تصغي، وربما تربت على خدها الأسيل بأناملك.

عاطفة غامضة لن أطلق عليها اسم الحب. لست بهذه السذاجة والغنائية.. سوف أطلق عليها اسم (ما بعد الجنس)...

(عزة).. (عواطف).. (نجاة)..

أفتح الباب الحديدي. أخرج إلى الهواء الطلق والظلام..

أغلق القفل بعناية كي لا يتسلل واحد آخر. هؤلاء في أنفاق المترو يمكنهم العناية بأنفسهم، ويعرفون كيف يخرجون..

لقد نجوت بأعجوبة..

لكني جائع..

فيما بعد عندما ألتقط أنفاسي، سوف أعرف إن كان من حسن حظي أن بقيت حيًّا جائعًا، أم كان من الأفضل لي أن أموت في نفق المترو المظلم.

لا أعرف.. لا أقدر على الموت.. أنا بكتريا مرغمة على الحياة مهما حدث لها..

على الأقل هناك (صفية). أختي...

ثمة شيء واحد في حياتي ظل نظيفًا، أو نجحت في أن أجعله كذلك.. رأيت ذات مرة في فيلم غربي في تلفزيون القهوة فارسًا

نبيلًا يمشي مع امرأة فيرى بركة وحل.. عندها نزع معطفه وألقاه على الأرض لتمشي عليه فلا يتسخ حذاؤها..

مع (صفية) لم ألعب دور الفارس.. لعبت دور المعطف ذاته..

لهذا أنا حي.. لن أموت وأترك (صفية) تسرق أو تهز ردفيها بائعةً السلعة الوحيدة التي تملكها.. لن أموت وأتركها للنساء يخمشن وجهها ويطلقن عليها نعوتًا قذرة.. لن أموت وأتركها تجوع..

لن أموت وأتركها تحيا بلا حياة..

* * *

كشف المرصد الصحفي بملتقى الحوار للتنمية وحقوق الإنسان عن ارتكاب (١٧٢) جريمة عنف ضد النساء وذلك خلال الفترة من ٣٠ يونية حتى ٢٥ ديسمبر ٢٠٠٥، وقد كشفت الدراسة من واقع ما تم رصده الآتى:

– ١٥٠ جريمة قتل بينهم ٦ جرائم اقترنت بالذبح، ٣ جرائم اقترنت بحرق الجثث، ٣ جرائم اقترنت بتمزيق الجثث وعدد ٢ جريمة أجبرت الضحايا على شرب السم، وجريمة واحدة تم قتلها بإغراقها في مياه الترعة. وأخيرا عدد ٤ جرائم قتل غير متعمد لقيام الزوج بالعبث في سلاحه الناري، ١٣ جريمة شروع في قتل و ٩ جرائم اعتداءات بالضرب.

جاء الدافع لارتكاب تلك الجرائم : بسبب الشرف – هروب الزوجة – خيانة الزوجة – الشك في سلوكها – الغيرة (٧٠) جريمة، تردى الأوضاع الاقتصادية: مصروف المنزل – ياميش رمضان – نقل ملكية سيارة – النزاع على ميراث (٣٩) جريمة، خلافات

أسرية : رفض خطبة أو زواج – التأخر في إعداد الطعام –
خلافات بين الزوجة وأسرة الزوج – إهانة الزوج أو صفعه –
إنجاب إناث – مطالبة الزوج بالطلاق (٤٤) جريمة ، وكان العنف
بسبب الدجل والشعوذة: إخراج جان وعفاريت من جسد الزوجة
(٣) جرائم ، وجاء عدد الجرائم بسبب الفشل في محاولة اغتصاب
الضحية (٦) جرائم ، فيما كان القتل بسبب الاستيلاء على أموال
الضحية (٧) جرائم ، وأخيرًا قتل غير متعمد: عبث بسلاح ناري،
دفع الضحية أثناء المشاجرة (٩) جرائم.

من حيث القائم بالجريمة: ارتكب الأزواج عدد (١٤٦)،
والأشقاء والأقارب (١٧)، وعدد (٩) جرائم لم تكن هناك صلة بين
الضحية والجاني.

توزع النطاق الجغرافي لمكان وقوع الجرائم كالآتي: محافظة
القاهرة شهدت عدد (٤٨) جريمة ، الجيزة (٢٣)، قنا (١١)،
سوهاج (١٦)، المنيا (٥)، بور سعيد (٤)، السويس (٥)، كفر
الشيخ (٣)، الغربية (٦)، البحيرة (٣)، دمياط (٣)، المنوفية (٩)،
القليوبية (٨)، الإسكندرية (١٣)، الإسماعيلية (٥)، المنيا (٤)
جرائم ، فيما لم يذكر محررو الخبر مكان وقوع (٦) جرائم.

تمثلت الأداة المستخدمة في ارتكاب تلك الجرائم في: أسلحة
بيضاء (سكين – ساطور – مطواة)، أسلحة نارية (مسدس –
بندقية) ماء نار، فئوس – شاكوش – شوم –عصي – حبال – قطع
خشب، شريط لاصق – كي بالنار – مفتاح إنجليزي – ماسورة
حديدية ، القتل بالخنق.

على أساس المستوى التعليمي: كان هناك ١١ من حملة
المؤهلات العليا ،(١٣) طالبًا بالثانوي والجامعة ،غير متعلمين
٣٢، فيما كانت هناك (١١٦) جريمة لم تتوصل الدراسة للمستوى
التعليمي لمرتكبيها لإغفال محرر الخبر ذكره.

الأرقام لا تكذب....

من بين كل مائة جريمة عنف ضد النساء، تقتل ٨٥ امرأة..

من بين كل مائة امرأة قتيلة، هناك أربع يذبحن كالشياه واثنتان تحرقان..

* * *

قرنيتي الحبيبة.. وحلم ما بعد الجنس...

أنا رأيت كل شيء يتهدم..

أنذرتهم ألف مرة، لكنهم لم يصدقوا أو صدقوا ولم يبالوا..

أحيانًا أشعر أن المصريين شعب يستحق ما يحدث له. شعب خنوع فاقد الهمة ينحني لأول سوط يفرقع في الهواء.

في الماضي عندما كنت أتفلسف؛ قلت لأحد أصدقائي:

- «لقد جمع (بلفور) اليهود في وطن واحد وعدهم به؛ وبهذا أراح العالم منهم..».

سألني في غباء عمن هو (بلفور)، فقلت:

- «هو رجل جمع اليهود في وطن واحد وعدهم به؛ وبهذا أراح العالم منهم..».

بدت عليه الدهشة وهتف:

- «يا سلام..!... رجل جمع اليهود في وطن واحد؟».

واصلت كلامي:

- «اعتقادي أن هناك وعدًا آخر.. ثمة شخص جمع الأوغاد والخاملين والأفاقين وفاقدي الهمة من أرجاء الأرض في وطن

قومي واحد هـو مصر.. لهذا لا تجد في اليابـان فاقد همة.. لهذا لا
تجد في ألمانيا وغدًا.. لهذا لا تجد في الأرجنتين أفاقًا.. كلهم هنا
يا صاحبي!».

هتف في دهشة وهو يطلق أبخرة الحشيش:

ـ «يا سلام.. هناك من وعد الـ.....».

ثم لم يستكمل العبارة؛ لأن رأسـه مال على صدره ونام.. خيط
لعاب يسيل على ذقنه..

كنت أقول لهم:

ـ «هأنتم أولاء يا كلاب قد انحدر بكم الحال حتى صرتم تأكلون
الكلاب!.. لقد أنذرتكم ألف مرة.. حكيت لكم نظريات (مالتوس)
و(جمـال حمدان) ونبـوءات (أورويـل) و(هـ.ج. ويلـز).. لكنكم
في كل مرة تنتشون بالحشيش والخمر الرخيصة وتنامون... الآن
أنـا أتأرجح بين الحـزن على حالكم الذي هو حالي، وبين الشماتة
فيكـم لأنكم الآن فقط تعرفون.. غضبتي عليكم كغضبة أنبياء العهد
القديـم علـى قومهـم؛ فمنهـم مـن راح يهلـل ويغني عندمـا حاصر
البابليون مدينته.. لقد شعر بأن اعتباره قد تم استرداده أخيرًا حتى لو
كانت هذه آخر نشوة له.. إنني ألعنكم يا بلهاء.. ألعنكم!».

لكن ما أثار رعبي أنهـم لا يبالون على الإطلاق..

لا يهتمون البتة..

إنهم يبحثون عن المرأة التالية ولفافة التبغ التالية والوجبة التالية،
ولا يشعرون بما وصلوا إليه..

إنني ألعنكم يا بلهاء.. ألعنكم!

-٤-

(صفوت) يعمل في يوتوبيا..

إنه يغطس في المجاري ليقوم بتسليكها، برغم أن شبكة المجاري هناك جيدة ويقومون بصيانتها بعناية. يجب أن أقول إن تلك المجتمعات المغلقة لها خدماتها الخاصة المستقلة. بالنسبة لنا، لم يعد هناك ما يدعى مجارٍ.. نحن نتصرف.. تعتمد معظم البيوت على (الترنشات)، وهناك عربة تكسح هذه ثم تتخلص منها في موضع غير بعيد. بعض الناس بلا بيت أصلًا؛ لذا لا تشكل له المجاري مشكلة.

من المسلي أن تلاحظ إلى أي حد انكمشت احتياجات المرء.. في البدء، كانت هناك شقق بها أجهزة هاتف وثلاجات وتلفزيون وحمامات.. لهذا كان الناس دائمي الشكوى من حياة الكلاب التي يرغمون فيها على مشاهدة برامج تلفزيونية سخيفة، مع انقطاع الكهرباء، وانقطاع اتصال الهاتف، وانقطاع المياه.. عندما تفقد هذا كله، لا يعود هناك مصدر للشكوى.. هذا نوع خاص من الكارما كما ترى. عندما لا تكون هناك كهرباء فهي لا تنقطع أبدًا.

فلتزأر العاصفة.. فلتزأر العاصفة...

(صفوت) يعمل في يوتوبيا..

(صفوت) غواص مجارٍ في يوتوبيا..

(صفوت) يقرأ الجريدة ويقول لي:

ـ «سوف يلغون الجمارك على الأخشاب المستوردة من الاتحاد الأوروبي..».

ثم ينظر لي في حيرة ويسألني:

ـ «هل هذا مفيد؟.. ولمن؟».

أقول له خلاصة فلسفتي التي كونتها طيلة هذه السنين:

ـ «لا أفهم معنى هذا، لكنه مؤذٍ لنا وخلاص.. أي قرار يتخذ في أي وقت هو ضدنا..».

(صفوت) يبدي علامات الفهم..

(صفوت) على علاقة بخادمة. يبدو أنها مصابة بفقدان الشم أو زكام. وهذه الخادمة كانت تجلب له الفلوجستين. مخدومها لا يبالي بهذا السائل الثمين ويضعه في أي مكان.. وكانت هي تسرق قطرات من الزجاجة تجلبها لـ (صفوت)، و(صفوت) كان يأتيني بها..

فيما بعد أضيف بعض قطرات الليمون على السائل لتعطيه تلك الرائحة، وتلك الوخزة الباردة عندما تضعه على جلدك.. يتحول السنتيمتر إلى خمسة سنتيمترات، وهذه أبيعها بسعر باهظ لشبابنا. وعندما يشكون من أنهم لا يرون النيران الخضر، أقول لهم في غضب:

- «لقد فتك الإدمان بأعصابكم يا أولاد الـ (...).. لم يعد من شيء قادر على أن يسطلكم سوى سكرات الموت ذاتها.. ».

هكذا يخرسون.. فكلامي لا يخلو من صحة..

غش؟.. وما في ذلك؟.. أفضل الغشاشين طرًّا هو من يغش المخدرات.. هذا رجل قديس يعمل لمصلحة الناس في رأيي.. إنه مصلح اجتماعي ينعم بالمال!

(صفوت) يعمل في يوتوبيا..

وقد كنت في انتظاره لدى العودة من هناك..

* * *

منذ اللحظة الأولى، ترجل هذان فشعرت بأنهما غريبان..

لا أعرف كل واحد في المنطقة، لكني بالتأكيد أعرف البؤس والشقاء عندما أراهما.. أعرف الجوع.. أعرف الوهن.. قابلتهم كثيرًا جدًّا حتى صرت أعرفهم من بعيد بسهولة تامة ومهما تنكروا..

هنا رأيت بؤسًا وشقاء وجوعًا غير أصيل..

رأيت خوفًا وهذا غير معتاد.. في عالمنا لا ترى الخوف كثيرًا، إنما هو نوع من استسلام للمصير وقنوط..

وقفت من بعيد أراقبهما..

رأيت الدهشة.. رأيت الاشمئزاز.. رأيت التقزز.. رأيت التوجس..

هذه جميعًا عواطف دخيلة على عالمي.. لا أحد يشمئز عندنا..

لا أحد يندهش.. أي طفل في التاسعة رأى كل شيء وجاع كثيرًا جدًّا، وغالبًا قد اغتصب ثلاث أو أربع مرات؛ لهذا ترى على وجهه علامات من رأى كل شيء كأنه عاهرة عجوز مجربة..

قلت لنفسي: إن هذين ليسا من هنا.. ليسا من الأغيار..

فلتقطع ذراعاي إن لم تكونا من يوتوبيا..

رأيت الفتى يمشي مع الفتاة وسط الزحام وأبخرة العرق..

توقف عند.. عند (سمية)..

إنه يتفاوض معها..

ذوقه رديء جدًّا.. (سمية) أقبح الفتيات هنا وهي أقرب إلى ذكر مكتمل الرجولة، دعك من أن عمها هو (السرجاني) ذاته!.. السرجاني الذي أطار قرنيتي..

ومن عجائب المصادفات أن السرجاني فقد عينًا – أو قرنية – في مشاجرة ليست بالبعيدة جدًّا. لم تعد علاقتنا سيئة جدًّا كما كانت، لكننا نتحاشى المواجهة.. فقط نتبادل النباح من جديد عندما نرى بعضنا..

لم يكن بلطجيًا.. إنه قواد.. صحيح أن جسده يوحي بالمهنة الأولى، لكن دعني أؤكد لك أنه قواد.. لا يبيع قوة جسده وبطشه ولكن يبيع نساءه. بضاعته الوحيدة هي (سمية)، وبالطبع لم تكن رائجة جدًّا..

هذا الفتى الأحمق اختار (سمية)؛ وبهذا صار تحت رحمة

السرجاني.. يمكنه أن يعمل أي شيء.. يهدده بالسنجة ويأخذ كل شيء معه، أو يتهمه بالاعتداء على شرف الأسرة – على طريقة (ستيفان روستي) في الأفلام القديمة – ويرغمه على قبول أي شرط مجحف..

السؤال الأهم هنا: ما دور الفتاة التي معه، ولماذا لا يكتفي بها؟.. هل هي أخته؟.. من الذي يتفق مع بائعة هوى أمام أخته؟.. بل من الذي يتفق مع بائعة هوى أمام أي أنثى أخرى؟

على كل حال، قد أخذ الفتى (سمية)، ودخل بها إلى الخرائب.. لن يتحرش به أحد. هي تحميه.. فقط لو صرخت أو استغاثت أو أصابها مكروه فلسوف يتحول إلى شرائط... سوف يمزقه الفتية الموجودون في الخرائب يتعاطون الكُلَّة، إلى أن يصل عمها لينهي عملية السلخ..

كان الفضول يستبد بي كي أعرف أكثر؛ لذا نسيت كل شيء عن (صفوت) وما يحمله، ورحت أشق طريقي وسط الخرائب بحثًا عن (سمية) وزبونها..

على الأرجح سوف تواجه الفتاة التي معه المشاكل.. أنا لا أطيق أن أرى فتاة في مأزق؛ لأن هذا يذكرني بـ (صفية)...

أعتقد أن بوسعي أن أنقذها لو حدث شيء..

لست قويًّا لكنني ذو شعبية، كما أنني من شلة (عبد الظاهر) وهو يفرض عليَّ حمايته. أي اعتداء عليَّ هو اعتداء على الأخير، وهذا ليس أمرًا هينًا..

كنت أقف هناك في الظلام، عندما فوجئت بمنظر غريب.. الفتى يهوي على عنق (سمية) بسيف يد؛ فتهوي كجوال ثقيل على الأرض. لم يكن يريدها كامرأة.. كان يريد إيذاءها لسبب لا أعرفه..

أو ربما أعرفه!

لكنه غبي فعلًا... السرجاني لا يترك سمية تغيب عن عينيه، وبالتالي لابد من واحد يراقبها من بعيد ليضمن أنها لن تهرب أو تأخذ المزيد من المال من الزبون.. هكذا عرفت أن النبأ وصل إلى السرجاني بسرعة البرق..

عشرة من شبابنا يركضون في الظلام.. يثبون فوق بقايا الجدران المتهدمة والقرميد وأكوام القمامة.. يثبون فوق الصخور.. يثبون فوق اللحظة...

إنهم يحيطون بالفتى وفتاته، بينما تكومت (سمية) على الأرض لا تعرف ما يدور هناك..

وصاح (سوكة) بصوته الحلقي الغليظ:

ـ «إنهما ليسا منا!... هذان من يوتوبيا!».

الجزء الثالث

الصيــــاد

-١-

الحقـد في العيـون كان واضحًا جليًّـا.. ذات النظرة التي ظهرت في عيونهم وهم يهدمون (الباسـتيل).. هم ذاتهم.. إن للرعاع جنسًا وشـكلًا موحديـن مهمـا تباينـت بلدانهـم ولغاتهم.. وفـي الأيدي التمعت نصال لا تنتمي للمدى، إنما هي أجزاء من هياكل سـيارات تـم تحويلها لأدوات قتل..هناك ماسـورة مياه أو اثنتان على طريقة عصابات (نيويورك)..

ارتجفت جرمينال والتصقت بي.. لن نفلت من هذا..

وشعرت بيد تفتش جيبي في غلظة، ثم خرجت حاملة الموبايل..

عيونهـم تحتشـد علـى الجسـد الراقد علـى الأرض.. الرسـالة واضحة تمامًا وقد فهموها:

- «إنهـم يخطفـون أي واحد منا يجدونه ليتسـلوا بـه عندهم، ثم إنهم يقتلونه!».

أدركـت أن الضربـة الأولى هي التي سـتفجر السـد بعدها تنهال الضربـات.. فقط من يبدأ بها؟.. وداعًـا جرمينال.. كانت حياة مملة برغم كل شيء.. ربما كان الخلاص منها نوعًا من التغيير..

ـ «لا تؤذوهمـا يا شبـاب.. إنهما بريئان.. أنا رأيت الفتاة تسقط ولم يلمسها أحد..».

كان هـذا أحدهـم يتكلم في حـزم.. لم أتبين ملامحـه لأن عيني كانت تنظر إلى الموقف لا الأشخاص..

قال أحدهم:

ـ «أنا رأيته يضربها».

قال منقذي الغامض:

ـ «أنـت لا ترى شيئًا يا بن الـ (....).. لقد أطارت الكُلَّة عقلك وأعمتك».

ثم همس في أذني:

ـ «هل معك فلوجستين؟».

ترددت فهمس:

ـ «إما هذا وإما أن ترى أذنيك على الأرض بعد لحظة!».

مددت يدي إلى جوربي وأخرجت الزجاجة الصغيرة التي تشبه أمبولًا يتم لصقه إلى الكاحل بشـريط، فاختطفها مني ولوح بها أمام العيون:

ـ «هـل تعرفـون هـذا؟.. (فلوجسـتين)!.. مـن لـم يجربـه بعد، فليعرف أنه شـيء يختلف كلية عن (الكُلَّة) والبانجو والصراصير.. خـذوه وجربوا.. نقطة واحدة على السـاعد...لا تكثـروا منه يا أولاد البلهاء؛ فقد رأيت من يموت في ثوانٍ لأنه وضع نقطتين».

يبدو أنهم كانوا جميعًا يعرفون ما يتكلم عنه..

٩١

على الفور نسوا كل شيء عن الانتقام، وانقضوا على الأمبول وراحوا يتبادلون الشتائم البذيئة.. فجأة لم يعد لنا وجود..

أحدهم حاول أن يركض بالأمبول، فوضع آخر ساقه في طريقه فسقط.. انقض على الأمبول ونزعه فقط ليغرس أحدهم إصبعيه في عينيه.. هنا انقض أحدهم يعض مؤخرة هذا الذي غرس إصبعيه.. في هذا الوقت، كان الذي سقط قد هب على قدميه وركل من يعض المؤخرة في وجهه.. كتلة أجساد تتصارع فلا تعرف أبدًا من أين يبدأ هذا وينتهي ذاك.. من المغلوب ومن الغالب.

لم يسأل أحدهم عن كيفية حصولي على هذه الكمية.. لابد من التعاطي أولًا، ثم الفهم بعدها.. فقط الحمقى هم من يتوقفون أمام الفلوجستين ليتساءلوا عن مصدره..

لو توقفوا لحظة لأدركوا أن وجود الفلوجستين معي يؤكد التهمة..

صاح جابر في الجمع الذي لم يعد يسمع ولا يرى:

– «إنهما لصان!... لقد سرقا هذا الفلوجستين من كلاب يوتوبيا!».

كأنه يمنحنا بهذا صك غفران!

هنا رأيت ذلك العملاق القواد قادمًا من بعيد وهو يلوح بسيفه مطيرًا رقابًا وهمية، بينما تنطلق منه قذائف من الشتائم.. شتائم لا يمكن التلميح لها هنا..

كان قادمًا نحونا وهو يرغي ويزبد، هنا ابتدره الفتى صائحًا:

– «فلوجستين يا سرجاني!... فلوك!... فلوك!».

لم يخفف الرجل من سرعته إنما غيَّر مساره بعد ما كان متجهًا مباشرة نحوي، ليندفع نحو المتقاتلين.. لم أفهم ما حدث لكني

متأكد من أنه هوى بسيفه عليهم.. يبدو أن استيعاب هؤلاء القوم سريع جدًّا، وترددهم معدوم. الصقر الذي لا يجد وقتًا ليفهم ما يدور هنا، ولكنه ينقض ثم يفهم..

أشار لنا الفتى منقذنا من طرف خفي لنبتعد فجرينا وراءه.. لو لم نثق به، فبمن نثق؟

✳ ✳ ✳

كشف الدكتور أحمد عكاشة في أحد المؤتمرات عن أن هناك في مصر أكثر من مليوني مدمن، و١٢ ألفًا يتعاطون الهيروين ومليونًا يتعاطون مخدرات أخرى كالبانجو وأبي صليبة في المرحلة العمرية من ١٢ إلى ١٩ عامًا.. يتصدر البانجو القائمة، ويليه الحشيش.. يعرف الباحثون جيدًا أن المخدرات وراء تزايد معدلات الجريمة في مصر من خطف واغتصاب السيدات وقتل الآباء، وأنها تستنزف سنويًّا ما لا يقل عن مليار جنيه من تكلفة المكافحة والتهريب.

✳ ✳ ✳

وسرعان ما كنا في مكان ما من هذه الخرائب.. ثمة كوخ صغير مكون من قطع خشب وأجزاء مفككة من هيكل سيارة وصحف وأشياء غريبة جدًّا.. أزاح قطعة من المشمع لندخل ففعلنا هذا مجبرين..

كانت حالة الكوخ من الداخل أسوأ.. هناك إطارا سيارة يستعملان كمقعدين، وهناك موقد كيروسين صغير وهناك أكوام من الكتب لم أرَ مثلها في حياتي..

الدليل الوحيد على وجود كهرباء، يأتي من مصباح واهن يتصل ببطارية سيارة عتيقة. وقد تم تعليق سلك المصباح على عصا تبرز من الخشب.. إضاءة لعل الظلام أفضل منها وأكثر بهجة.. إضاءة سقيمة.. إضاءة خلقت كي تنطق كلماتك الأخيرة فيها قبل أن تخرج الرغوة البيضاء من فمك وتموت..

للمرة الأولى، أتمكن من تفحص ملامح هذا المنقذ.. كان في الثلاثين من عمره نحيلًا منكوش الشعر، تبدو عليه بوضوح سمات سوء التغذية، لكنه قوي البنيان كالذئاب. وعلى أنفه نظارة تم لحامها بالنار ألف مرة، ومن تحتها وجه امتلأ بالخياطة كأنه وجه المسخ في أفلام (فرانكنشتاين).. لاحظت كذلك أن له قرنية ذابت وتحولت إلى عجينة بيضاء.. قلت له:

ـ «شكرًا على إنقاذنا..».

قال وهو يزيح بعض المهملات ليسمح لنا بالجلوس:

ـ «اسمي (جابر).. لا شكر على واجب..أكره القتل على الجانبين، برغم أنكما جئتما طبعًا للفوز بتذكار فريد!.. أنتما من يوتوبيا طبعًا!».

ـ «لا.. لسنا من..».

نظر لي في حدة بعينه التي تحولت إلى عجين وقال:

ـ «لا تحاول خداعي.. كلنا يعرف ما يفعله اللصوص عندما يتسللون لنا.. ومتى فرغوا من مهمتهم جاءت طائرات المارينز لتنقذهم مع صيدهم.. ماذا يقول لك أبوك عندما تعود له بواحد منا؟.. (كخ)؟.. عيب؟.. يا للقسوة!».

نظرت إلى جرمينال فنظرتْ لي..

شعور بعدم الراحة يغمرنا.. نحن لم نخدع أحدًا. الآخرون كانوا سيمزقوننا في الحال، أما هذا فيدخر لنا مصيرًا لا أعرف ما هو، لكنه بطيء.. بطيء، وكل ما هو بطيء قاسٍ...

ـ «ما اسمك؟».

قلت بلا اكتراث:

ـ «علاء».

ابتسم في خبث وقال:

ـ «طبعًا، لو حسـبت أنني سأصدق لحظة واحدة أنك علاء فأنت ترى في وجهي غباء، لكن لا يهم.. لا قيمة للأسمـاء إلا في جعلك تعرف أنني أوجه لك الكلام.. سنفترض أنك علاء ولتكن هي مها.. عـلاء ومها.. جميل.. هـل أنتما أخوان؟.. سـأفترض هذا كذلك.. لكـن لـو لم تكونـا أخوين فلتعلما أنني لن أسـمح بأي شـيء تحت سقف بيتي أو تحت قماش عشتي؛ لأنني لم آتِ بكما لهذا الغرض، ولا أعيش وحدي».

سـمعنا حركة ودخلت الكـوخ فتاة في العقد الثاني من العمر.. يبدو أنها مليحة وإن كانت قذارة أسمالها تخفي أي حسن.. القذارة جعلـت ثوبها صلبًا لا يـرف ولا يهتز كأنـه من جلد مدبـوغ.. نظرة الحيوان الخجول الوجل المتواري في الدغل تبدت في عينها عندما رأتنا.. فيما بعد عرفت أن هاتين العينين تنطقان بكل شـيء كأنهما متصلتان بالروح مباشرة....

قال لها باسمًا:

ـ «هذه أختي.. تعالي يا (صفية).. كنت تسألين عن منظر هؤلاء الأثرياء الذين يقيمون في مستعمراتهم الخاصة.. هذان منهما!...».

نظرت لنا في عدم فهم.. نحن نبدو في حالة أسوأ منها.. قال الفتى:

ـ «هذا لزوم التنكر.. نوع من الشحم الذي يضعه الممثلون على وجوههم.. لقد جاءوا ليظفروا بواحد منا يتسلون به..».

وبدأ انفعاله يتزايد رويدًا رويدًا كأنه يبصق الحقد الذي يتراكم فوق روحه:

ـ «لماذا لا تتركوننا وشأننا؟.. سرقتم منا الماضي والحاضر والمستقبل.. لكنكم تكرهون أن تتركونا نعيش..».

وقبل أن أفهم من أين جاء ولا متى، وجدتُ نصل سيف عملاق تحت ذقني.. ومن بين أسنانه الصفر قال:

ـ «هل ترى أن آخذ منك تذكارًا كما تفعلون معنا؟... إن أذن فتاة ستكون تذكارًا ممتازًا.. أذنًا دقيقة حمراء نظيفة.. سوف يحسدني الجميع عليها وربما اقترضوها مني..».

ثم انفجر في ضحك وحشي.. ضحك وحشي.. وحشي..

ظللنا صامتين.. كنت حائرًا بين إظهار الخوف فأشعل ساديته أكثر، أو إظهار اللامبالاة فأثير غيظه وجنونه.. النتيجة أنني ظللت أرقب وجهه بوجه كالصخر ليس عليه أي تعبير. ونظرت لجرمينال بطرف عيني فوجدت أنها على الأرجح قررت الشيء ذاته..

في النهاية هدأ.. فقال للفتاة:

ـ «أعدي لنا شيئًا يؤكل..».

* * *

كان اسم صاحبه (عزوز)..

ضخم الجثة له عين يسرى ترفّ طيلة الوقت. كأنه يتوقع الشؤم منذ ولد..

عزوز دخل الخرائب ليقضي حاجته في تلك الليلة عندما ظفر به ثلاثة من يوتوبيا.. اضطروا لقتله عندما لم يتمكنوا من خطفه. ثلاثة فتية أقوياء البنية، في عيونهم قسوة وبرود وتعالٍ..

لم يعرفوا هنا ما حل به إلا عندما رأوا طائرة المارينز تحلق فوق الخرائب، وكشافاتها الساطعة تمسح المكان. عندها عرفوا أن أحدهم سقط..

راح الناس يقذفون الهليكوبتر بالحجارة، وأخرج (مرسي) المسدس الذي قام بصنعه بنفسه في ورشة خراطة، وأطلق طلقتين على الطائرة..

ارتفع الوحش المزمجر وهو يصوب كشافاته في كل اتجاه، ثم هبط قليلًا، وأمكنهم أن يروا جندي المارينز الجالس على باب الطائرة المفتوح وقد وضع البندقية الآلية بين فخذيه، وراح يطلق الرصاص بلا تمييز على جموع الغاضبين..

سقط كثيرون.. سقط (مرسي) ذاته..

والطائرة تدخل إلى الخرائب، ثم يتدلى منها سلم من الحبال.. يتسلق الفتية الثلاثة السلم وهم يصرخون صرخات وحشية، ثم ترتفع الطائرة..أولاد الكلب حسبوا أنهم يمثلون فيلمًا أمريكيًّا عن حرب فيتنام.. الفتية صاروا داخل الطائرة وهم ينظرون من أعلى إلى الجموع الغاضبة.. أحدهم لوح بشيء دام في يده وأطلق سبة بذيئة..

هرع (جابر) إلى حيث كانت جثة مرسي والتقط المسدس.. ثبت يده اليمنى باليسرى وأحكم التصويب، لكن الطلقة التي دوت لم تجرح أحدًا. فقط آلمت ذراعه بشدة ، وتردد صداها على مدى دهور.. وابتعدت الطائرة..

هرع الجميع إلى الخرائب على ضوء المشاعل.. وهناك جوار جدار وجدوا جثة عزوز وقد مزقتها الطعنات. فقط لم يكن له ساعد.. لقد تعب فتية يوتوبيا كثيرًا حتى انتزعوه، ومن الواضح أنهم لا يملكون خبرة الجزار في التشريح. لكن لو لم يأخذوا تذكارًا لما صدقهم أحد في يوتوبيا عندما يعودون..

ابتعدت الطائرة...

لكنها تركت المزيد من الحقد الأعمى الأسود الذي لا يجد قناة ليسيل فيها...

أقسم أخو (عزوز) الذي لم يكن يطيق أخاه وهو حي، ليقطعن ساعد أي واحد من قوم يوتوبيا لو سقط في يده.. الجديد في الموضوع هو أنه سيفعل هذا بأسنانه وليس بالسكين..

الفرصة لم تأتِ، وإن ظل الجميع ينتظر في شغف ليرى كيف يحدث هذا...

يعرفون أنه سينفذ انتقامه حرفيًّا، ولكن مع أي واحد تعس من الأغيار يقع تحت يده في المشاجرة القادمة. هناك من سيفقد ساعده لأنه نافس (عزوز) على بقايا رغيف.. هذا مؤكد..

هذا ما حكاه لنا جابر، وأنا قبل أي واحد آخر أعرف أنه صحيح..

-٢-

«والآن يا صغيرتي انظري لي، واتلي صلاتك الأخيرة..

إن عناقي المشبوب سوف يهشم ضلوعك.. سوف أعتصر روحك ذاتها..

عندما تصعد إلى السماء مهشمة تستند إلى عكازين..

سوف تسألها الملائكة عما حل بها..

ستقول: لقد نمت مع الشيطان ذاته..

الشيطان الذي أثملته صرخات العذارى قبل الذبح..».

من أغاني الأورجازم

* * *

الطعام الذي أعدته لنا (صفية) هذه، كان خليطًا من الفول والطعمية؛ طعام الأغيار المقدس.. أحيانًا نأكل هذه الأشياء طبعًا على سبيل التغيير، لكن ليس بهذه الطريقة!.. بقايا أوشكت على الفساد من عدة وجبات سابقة قامت بخلطها وتسخينها على الموقد، ثم صبت على الخليط زيتًا وملأت قبضتها بالتوابل ونثرتها على الطنجرة..

قال (جابر) مفسرًا:

ـ «نحن نكثر من التوابل لأنها تخفي طعم أي شيء.. تخفي

طعم الدجاج الفاسد والفول الحامض والبيض الممشش...التوابل هي السلعة الوحيدة التي لم يزدد سعرها لأنها ضرورية كي نبقى أحياء..».

وناولني طبقًا وآخر لـ جرمينال.. ثم ناولته الفتاة قطعة من خبز مسود فاحتفظ بها لنفسه..

كنت قد أكلت الفول من قبل كما قلت.. إنه يساعدك على التغيير عندما تمل إفطارك المعتاد، لكن جهازنا الهضمي لم يعد يتحمله.. لهذا أحجمت عن الأكل؛ لأني لا أعرف كيف سيكون قضاء.الحاجة عندهم. لا أعني أنني لا أعرف.. بل لا أريد..

قال وهو يقلب الملعقة في طبقه:

ـ «بالطبع، لا تفهمان شيئًا عن الوضع الذي صرنا إليه.. لكني أكره ألا أخبركما بكل شيء.. الصورة التي تريانها كانت موجودة منذ البداية لكن بشكل غير واضح، ثم تضخمت شيئًا فشيئًا... يصير الأغنياء أغنى والفقراء أفقر، ثم تأتي لحظة يحدث فيها الانهيار.. ويبدو لي أن هذا حدث في العشر السنوات الأولى من هذا القرن.. فجأة انهار السد... لم تعد السياحة قادرة على إطعام هذه الأفواه.. إسرائيل افتتحت قناتها التي صارت بديلًا جاهزًا لقناة السويس.. الدول الخليجية نضب بترولها أو تم الاستغناء عنه بعد ظهور (البايرول)، وطردت العمالة الوافدة.. هكذا وجد الاقتصاد عليه عبئًا قاصمًا، وانعدمت الخدمات للفقراء لأن الدولة أعفت نفسها تمامًا من مسئوليتهم، وخصخصت كل شيء.. لم تعد هناك حكومة، أو لم تعد هناك حكومة تعبأ بنا.. مع الوقت توقفت الرواتب وتوقفت الخدمات وذابت الشرطة؛ وبالتالي لم تعد علينا ضرائب... كان

آباؤكم من طبقة استطاعت أن تستخدم نفوذها للإثراء.. حسابات مصرفية في الخارج.. قروض من المصارف.. احتكار.. كل شيء كان في مصلحة آبائكم وضدنا على طول الخط.. هكذا استطاعت هذه الطبقة أن تتماسك وتزداد ثراء، بينما هوينا نحن إلى الحضيض.. لكن الحياة معنا صارت أمرًا مستحيلًا... اضطرت هذه الطبقات إلى أن تعزل نفسها طلبًا للأمان في تلك المستعمرات على الساحل الشمالي، وقد استعملوا رجال المارينز لأنهم يضمنون ولاءهم بينما لا يضمنون ولاء البودي جارد المطحون بدوره.. إن فكرة أن يثور محيط الفقر هذا كانت تؤرقهم.. كل الثورات الشعبية في التاريخ بدأت بذبح الأثرياء.. هكذا تكون مجتمعان أحدهما يملك كل شيء، والآخر لا يملك شيئًا.. أهمية المجتمع الثاني لا تزيد على كونه سوقًا استهلاكية لا بأس بها.. حتى لو كان يعاني الفقر فإن كثافته السكانية تسمح بكل شيء.. لو ابتاع كل منا زيتونة فلسوف يصير بائع الزيتون مليونيرًا...».

ثم توقف عن الأكل وسألني:

- «هل لديكم إسرائيليون في يوتوبيا؟».

قلت في دهشة:

- «كثيرون.. أعز أصدقائي منهم..».

قال وهو يعاود المضغ:

- «هذه سمة مهمة لدى قومك.. لقد اتخذوا موضعهم في الشرق الأوسط الجديد الذي كانوا يتحدثون عنه.. المثلث الذي حلمت به إسرائيل كثيرًا.. مال خليجي (قبل أن ينضب).. ذكاء إسرائيلي.. أيدٍ

عاملـة مصرية رخيصة.. نحـن الفقراء لم نكف عن اعتبار إسـرائيل عدوًّا».

قلت في غيظ من كل هذه المحاضرة:

ـ «ولمـاذا أعتبـر إسـرائيل عـدوًّا؟.. هـل لمجرد أن هـذا يروق لك؟».

نظر للفتاة وتبادل ابتسامة منهكة وقال:

ـ «نـم الآن..نم.. إن نصف ما أعرفـه لا تعرفه.. والنصف الآخر لا يهمـك أن تعرفـه.. نم وفي الصبـاح نرى كيف تخرجـان من هنا محتفظين بأذنيكما..».

ثم هز الملعقة في يدي وقال:

ـ «لا ألاعيب.. إنهـم يعرفون مكاني وسـوف يعـودون هنا عندمـا يزول مفعول الفلوجسـتين.. عندها يجب أن أكون موجودًا لأحميكما وإلا.........».

وأشار لعنقه بحركة ذات معنى..

* * *

هكـذا لم نستطع الفرار.. لم يكـن هذا مطروحًا، دعك من أننا كنا مرهقين فعلًا.. ألعن ليلة في حياتنا ونحن نجلس متلاصقين في هـذا الكوخ كريه الرائحة لا نجرؤ على أن نتمدد، أو نلمس أي جزء من الجدار... هكذا سـوف نبقى حتى الصباح وبعدها؟.. كل شيء يتوقف على خطة هذا الفتى...

أنا لا أفهمه.. أعتقد أنه من الطراز المثقف في وسط ليس وسطه.. الخـروف الذي يفكر يصير خطرًا على نفسـه والآخرين. أنا أعتبر

مثقفًا في يوتوبيا.. أنا من القلائل الذين قرءوا كل شيء وقع تحت أيديهم، لكن هذا لا يجعلني أتعاطف معه ذرة.. ليست الثقافة دينًا يوحد بين القلوب ويؤلفها، بل هي على الأرجح تفرقها؛ لأنها تطلع المظلومين على هول الظلم الذين يعانونه، وتطلع المحظوظين على ما يمكن أن يفقدوه.. إنها تجعلك عصبيًّا حذرًا.. دعك من تحول قناعاتك الثقافية إلى دين جديد يستحق أن تموت من أجله، وتعتبر الآخرين ممن لا يعتنقونه كفارًا..

كان شخير (جابر) قد بدأ يتعالى وهو راقد في الركن منكمشًا على نفسه..

ماذا يريد من الحياة؟.. لماذا يظل حيًّا؟

لو هددته بسكين لصرخ ولركل يدي.. لماذا؟...

في الضوء الخافت، جلست أخته جوار جرمينال تنظر لها وهي شبه نائمة..

جرمينال نائمة كطفل.. تتحرك شفتاها.. تهمس من روح معذبة: ليلى.. ليلى... ليلى هي أمها طبعًا (فلا أحد في يوتوبيا يستعمل لفظة ماما أو بابا).. للمرة الأولى أراها مجرد طفلة معذبة تريد العودة إلى أمها. لم أرَ جرمينال إلا ثائرة ملولًا متعالية. لابد من النوم على الأرض كي تظهر لي حقيقتها..

ظلت (صفية) بضع دقائق تنظر، ثم مدت يدها في حذر إلى شعر جرمينال وراحت تتلمس خصلة منه.. ثمة شيء حيواني غريب في تلك اللمسة لم أرها من قبل إلا مع قرد مد يده ذات مرة يتحسس أناملي في وجل وفضول عندما كنت في حديقة حيواننا. هبت جرمينال منتفضة

وأبعدت رأسـها قليلًا، ثم غاصت في النعاس ثانية.. لكن الفتاة فعلت بالضبـط ما توقعته.. وثبت للخلف مترًا بطريقـة زادتني اقتناعًا بنظرية القـرد تلـك.. هـذه حـركات غير بشـرية.. هـذه حركات تمـت بصلة لانعكاسات حيوانية متوارثة ولا دخل للعقل فيها..

قالت الفتاة بصوت مبحوح:

ـ «شعرها جميل.. جميل جدًّا ونظيف.. لا أعرف كيف تصورتم أن تخدعونا.. ليس بشعر كهذا!».

ثم مدت يدها إلى يدي، فأمسكتْ بأناملي برفق وقالت:

ـ «هل ترى الفارق؟».

نعم، أرى الفارق.. يد ناعمة نظيفة منمقة ويد خشنة متسخة مقصفة الأظفار.. الغريب أن الأولى هي يد الرجل، والثانية يد الأنثى..

قلت بلامبالاة:

ـ «كنا في الظلام.. يمكنك أن تخدعي أي واحد في الظلام، وكنا سنعود بسرعة..».

ثم أشرت لأخيها النائم وقلت:

ـ «من أين يعرف هذا كله؟».

ـ «يصمـم أن يقـرأ.. يبحث في القمامة عـن كل كتاب قديم فهي أشياء لـم تعد تباع.. هذه مزية أن تهتم بأمور لـم تعد تهم أحدًا.. على الأقل لن يسـرقك الآخرون.. هذه الكتب ملقاة هنا منذ سنين، بينما لا يمكن أن تترك عود ثقاب من دون أن يأخذه أحد.. إنه...».

ثـم راحـت تسـعل في عمـق حتـى توقعت أنهـا سـتبصق رئتيها

خارجًا.. فانتظرت حتى فرغت وأنا أنظر لها في دهشة فقالت في شيء من الفخر:

ـ «هذا درن.. إنه يعود منذ تسعينيات القرن الماضي.. ليس لدينا علاج، وهو لا يجدي على كل حال».

ثم أشارت لأخيها النائم وقالت:

ـ «هو من طبقة (التلامذة).. إنهم هؤلاء الذين دخلوا كليات أو جامعات منذ عشر سنوات ثم لم يجدوا عملًا، ولم يستطيعوا أن يصنعوا شيئًا بما تعلموه.. لكن علاقتهم بالكتب لا تنتهي.. منذ عشرين سنة، لم تعد لأحد فرصة على الإطلاق..لم لو يكن أبوك ضابط شرطة أو رجل أعمال أو تاجرًا يورثك تجارته، فلا فرصة لك على الإطلاق وسوف تنضم لهؤلاء الذين يشمون (الكُلَّة) في الخرائب..».

ثم تثاءبتْ كثور وأغمضت عينها.. رحت أرقبها وأنا جالس.. مليحة بلا شك، لكن كيف يمكن أن تجد هذه الملاحة تحت كل هذه الخشونة والقذارة؟.. أن تزيل كل هذه الأعوام من المعاناة والفقر والجوع؟.. مستحيل.. هذه الفتاة ستتزوج واحدًا من هؤلاء، يوسعها ضربًا ثم تموت في إحدى نوبات غضبه.. لا يبدو أمامها مستقبل آخر..

لا أعتقد أنني نمت..

لو سألتني لقلت لك إنني لم أنم..

لكن هناك ذلك الضباب الذي يحيط بك ويتأرجح بين الكثافة والخفة.. الوعي ينغمس في مستنقع ويخرج منه.. كذا كان نومي..

-٣-

الصباح.. لا إفطار لأن وجبة واحدة تكفي المرء.. دعك من أننا كنا زاهدين في الطعام كل الزهد.

الصباح و(جابر) خارج الدار..

الصباح وصفية تقوم بأعمال غريبة من نوعها..

تمزق الأوراق من مجموعة من كراسات المدارس القديمة..

تقطع بعض العلب من الورق المقوى إلى شرائح طويلة..

تسكب سائلًا أسود في إناء..

تجمع أعواد ثقاب تالفة في كيس..

تلحم قطعًا من البلاستيك..

تبري بقايا صابون وتضع عليها بعض البوتاسا الكاوية..

تسكب بعض الماء في البطارية..

تمزق قطعة من الليف إلى أشلاء..

غريب حقًا هو جدول الأعمال المنزلية لدى نساء هؤلاء القوم. قال (جابر) إنه لا يهمني أن أعرف كل شيء، وهذا رأيي. ليست متابعة نشاطات الصراصير ذات أهمية إلا لعلماء الحشرات..

لن أسألها عن شيء.. لن أسألها عن تمزيق كراسات المدارس القديمة، ولا عن سبب تقطيع علب الورق المقوى.. لن أسألها عن السائل الأسود ولا عن سبب جمع أعواد الثقاب التالفة.. لن أسألها عن لحام البلاستيك ولا بري قطع الصابون.. لن أسأل عن الماء في البطارية ولا تمزيق الليف..

صراصير..

جرمينـال تراني أراقب (صفية) في فضول.. تهمس جرمينال في أذني:

ـ «لا تقل إنك تريدها..».

قلـت إنني لا أمانـع.. لها مـذاق خاص فريد يختلـف عن مذاق الفتيات اللاتي اعتدتهن. اللاتي لهن نفس العطر والشعر الحريري والوشـم والقرط في الأنف أو الشفة السـفلى.. أعرفهن وأحفظهن كمـا تحفظ أنـت الدجاج.. لا توجـد دجاجة تختلـف عن الأخرى ويمكنك أن تشعر بأنك أكلت هذه الدجاجة من قبل، أما هذه فلابد أنها تجربة تختلف.. لكني لن أجازف بمغازلتها ونحن تحت رحمة (جابر)..

لـن أجـازف بمغـازلتها وطبقـات القـذارة تغلفهـا، وربما تغلف روحها..

لن أجازف بمغازلتها وهي تسعل دمًا كل خمس دقائق..

لم يفعل (جابر) شيئًا طيلة هذا النهار.. لما سألته عما ينوي عمله بنا قال في غموض:

ـ «انتظرا حتى الوقت المناسب..».

ـ «ولماذا لم تتخلص منا؟».

ـ «لأنني أمقت العنف من الطرفين، ولأنكما جاهلان لا أكثر.. لـم تفعلا إلا ما يفعله الفأر الذي يحاول سـرقة بعض الخبز؛ لأنه لا يعرف شـيئًا آخر.. هذه غريزته وتلك فطرته. لكنكما لستما فأرين.. هذا ما أحاول أن أخبركما به..».

ثم أخرج علبة بها بعض الشحم، ولوث أنامله ثم قال وهو يضع يده جوار خدي:

ـ «بعد إذنك!».

ـ «تفضل..».

هكذا لوث وجهي ووجه جرمينال.. بعناية ودقة هذه المرة.. قام بتلويث أيدينا، ثم انتخب لنا ثيابًا أكثر قذارة.. هذه المرة كانت هناك أستاذية لا شـك فيها في لمسـاته، حتى بدت جرمينال كالمتسولين واعتقـد أنني أبدو بصورة أسـوأ.. ثم شـرح لي كيف نمشي وكيف نتكلم..

ـ «هؤلاء قوم رأوا كل شيء وعرفوا كل شيء؛ لذا هم لا يتكلمون تقريبًا.. قللا كلامكما قدر الإمكان.. مثلًا لو أردت شـراء شيء راق لك، فلا تسـأل عن الثمن كتلاميذ المدارس.. أمسـك الشيء بغلظة وانظر في عيني البائع متسائلًا.. لا تقل شيئًا.. سوف ينظر في عينيك بشراسـة ويقول لك: (مائة) مثلًا، ولا يزيـد.. عندهـا تأتي بحركة بذيئـة مـن إصبعك وربما تطلق صوتًا قصيرًا مـن حلقك.. ثم ألقِ له بخمسين ولا تتكلم.. ».

ثم فكر حينًا وأضاف:

ـ «العـادات الحميدة تقتل هنـا.. لابد من أن تبصق على الأرض من حين لآخر.. تحسس عضوك التناسلي من فوق الثياب من وقت لآخـر.. هي لابد أن تهرش صدرها ورأسـها.. المفروض أن الأول يعـج بالبراغيـث والثانـي بالقمـل.. هذه لمسـات مهمـة وتقلل من النظرات الفضولية لكما».

قـال لي إننا بصدد جولة يريني فيها ذلـك العالم الذي أجهل كل شـيء عنـه.. قال إننا حـران لو أردنا الفـرار، لكنه لا يضمـن حياتينا لحظة أخرى بعد هذا...

ـ «سـوف ترتكبان جملـة من الأخطاء، ولسـوف يمزقونكما في اللحظة ذاتها..».

هكذا غادرنا الكوخ الحقير لنخرج إلى شوارع في غاية الازدحام والفقر.. هناك لمسـات تـدل على أنه كانت هنـاك حكومة يومًا، ثم تخلـت تمامًا عن كل شـيء.. في الأزقة والشـوارع الجانبية تحدث المشاحنات لأي سبب ومن دون مبرر..

ـ «إنها أخلاقيات الزحام.. ضع سـت دجاجات في عشة ضيقة، وراقـب كم تصير مهذبة.. لـو أن دجاجة واحدة لم تفقأ عين جارتها أو تلتهم أحشاءها فأنا مخطئ..».

سألته وأنا أمسك بيد جرمينال الممتقعة ذعرًا:

ـ «لماذا تستمرون في التكاثر إذن؟».

ـ «لأن التكاثـر هـو رفاهيـة الفقـراء الوحيدة.. دعـك من أن كل

هـؤلاء يعتقدون أن واحدًا من أبنائهم سيغير كل شـيء.. في انتظار هذا المجهول يتكاثرون، والصبي يسعى بحثًا عن رزقه كدجاجة.. لا أحد يعرف إن كان قد مات أو أكل أو نام.. في سن الحادية عشرة، يتعلم استنشاق (الكُلَّة)، وبعد هذا يضطر لارتكاب الجريمة كي يتعاطى ما هو أفضل.. طبعًا من يسرقه فقير مثله؛ لأنه لا أحد يستطيع أن يسرق منكم.. مستقبل مشرق كما ترى..».

ثم حك رأسه وابتسم:

ـ «برغم هذا انخفض معدل خصوبتنا كثيرًا.. جيلان كاملان أكلا طعامًا ملوثًا ويعج بالهرمونات.. هكذا صار من المعتاد ألا ينجب المتزوجون، لكن المحصلة النهائية هي أننا نتزايد بلا توقف على كل حال.. كانت هناك فرق إخصاء، ثم انتفت الحاجة لها..».

هتفت جرمينال في ذهول:

ـ «فرق إخصاء؟».

ـ «نعم.. ألم تسمعي عنها؟.. مجموعات من رجال الشرطة الملثمين يهاجمون الفتيان.. بسرعة وبدقة جراحية يخدرون الفتى ويقطعون حبله المنوي، ثم يخيطون الجرح ويفرون.. بهذا يصير عاجزًا عن الإنجاب للأبد.. في المتوسط، كان يتم تعقيم ثلاثة فتية في الليلة الواحدة».

ـ «وماذا حدث بعدها؟».

ـ «متدينون كثيرون في يوتوبيا قالوا: إن هذا حرام.. فلنعتمد على الطعام الملوث ليقوم بالتعقيم بنفسه بدلًا من أن نتحمل نحن

الوزر!.. وهكذا تزايد نشاط تلويث الطعام، وقد تمت زيادة جرعة مادة الجوسيبول في الزيوت التي نتعاطاها إلى أعلى معدل ممكن لها، وهذه المادة شديدة الفعالية في قتل الحيوانات المنوية وتدمير نسيج الخصية.. برغم هذا نحن نتكاثر كالبكتريا.. لا توجد طريقة للقضاء على البكتريا في العالم مهما استعملت من مضادات حيوية فعالة.. إنها تجد طريقًا دائمًا.. ».

سألته السؤال الذي كان يلح عليَّ ليلًا:

ـ «ولماذا لا تثورون؟».

انفجر يضحك حتى سال دمعه وقال:

ـ «هذا شيء يتكرر من حين لحين.. لكن ثورات القرن العشرين التي تحقق غرض الجموع قد صارت تاريخًا بائدًا.. لقد تعلم من هم فوق من أخطاء الآخرين.. لن يرى أحد ثانية شاه (إيران) الذي يحلق بطائرته بحثًا عن بلد يؤويه، ولن ترى جثة (شاوشيسكو) أو (موسوليني) معلقة في ميدان عام.. إن النظام الأمني معقد متطور اليوم.. هناك ستة أجهزة أمنية تراقب بعضها، ومهمة كل منها حماية الحكام.. إن ثورات اليوم هي أقرب إلى (هوجة)، ثم تحلق طائرات الهليكوبتر لتلقي عدة قنابل وتطلق عدة طلقات فيتفرق الجميع.. ».

في هذه اللحظة، اقترب منا رجل رث الهيئة له لحية غير حليقة، وإن كانت ثيابه توحي بأنها زي رسمي غير معتنى به.. ومد يده لنا:

ـ «هل معكما شيء يؤكل؟».

هز (جابر) رأسه وواصل المشي.. ثم قال:

- «إنهم في كل مكان... لا توجد أعمال.. ما لم يجد عملًا في مستعمراتكم بالساحل الشمالي، فلا أحد يريد منه شيئًا.. سوف يقضي حياته يبحث عن بقايا الطعام الملقاة في أكوام القمامة، ثم يموت بالدرن ذات يوم فيجدونه جوار جدار.. هذه هي حياته..».

كنت في هذه اللحظة قد بلغت قمة التقزز والذهول.. أتذكر (يوتوبيا) وبيتي والدولارات التي أبعثرها.. أتذكر الشلة والفلوجستين الذي أتحرق شوقًا له. أتذكر كلبي الذي يلتهم ما يشبع خمسة من هؤلاء يوميًا... لست مستعدًّا لحظة للتخلي عن هذا كله، لكني كذلك لا أبتلع فكرة وجود كل هذا الفقر.. الآن فقط أفهم هذه الأسوار العالية ورجال المارينز والمطار الداخلي.. لو تركنا كل هذا لسال هذا الطوفان ليغرقنا ويقتلنا.. لا أعرف كيف وصل الأمر لهذا الحد، لكن لابد من أن يستمر..

جرمينال راحت تغلي وترتجف.. وراحت تغمغم من بين شفتيها:

- «يا الله!.. أريد أن أعود!.. أريد أن أعود!».

ضغطت على يدها كي تخرس...

كان هناك رجل يقف وسط زحام حوله، ويبيع زجاجات بها سائل ملون؛ مدعيًا أنها العلاج الشافي من الدرن والسرطان.. إنها خلطة من الأعشاب صنعها هو ولا يعرف سرها اللصوص في (يوتوبيا) كما قال.. إنهم ينفقون مالهم في هراء يبتاعونه بأغلى الأسعار بينما العلم كله هنا..

عندنا العلم كله..

عندنا العلم كله..

عندنا العلم كله..

هذه أدوية لا قيمة لها إلا أنها رخيصة!.. أي إنها تعطيك مزية أن
تتعاطى شيئًا ولا تنتظر الموت عاجزًا..

هناك رجل يقف أمام منضدة خشبية مقلوبة عليها أجهزة صغيرة..
يقول صائحًا:

ـ «أفضل أجهزة سرقناها من (يوتوبيا).. تعالَ الآن!... ».

وتوقفت عيناي على شيء ونظرت لـ جرمينال فوجدتها تنظر
لذات الشيء في نهم..

كان هناك جهاز محمول صغير على تلك المنضدة، وعلى بعد
متر واحد منا!

* * *

لم يكن هذا جهازَ محمولٍ..

كان فراشًا نظيفًا ووجبة ساخنة وحمامًا وجنسًا وفلوجستين
وكئوس خمر وبيتًا وأصدقاء...

صورة الجهاز الفاتنة لم تفارق ذهني...

غادرنا الزحام فتأخرت جرمينال قليلًا جوار أحد الأزقة، وقالت
إنها راغبة في قضاء حاجتها. قال (جابر) بلامبالاة إن هذا بوسعها..
كل مِكان يصلح.. الخدمات الصحية لا وجود لها؛ لأن شبكة

المجاري صارت تاريخًا.. في الماضي كانت الحكومة تتشدق بتجديد شبكة المجاري، لكنها أهملتها عندما صارت هناك وسائل أخرى للاستيلاء على المال، وبعد ما صارت اللعبة واضحة: نحن لا نبالي بكم على الإطلاق.. فلتأخذكم مصيبة..

غابت جرمينال في الزقاق لربع ثانية، ثم عادت راجفة وهي تصيح:

- «إنه مليء بالشباب النائم!».

قال (جابر) ضاحكًا:

- «إنهم تحت تأثير (الكُلَّة) ومسحوق الصراصير.. لا تخافي.. لو أن ملكة جمال الكون تعرت أمامهم لما حركوا ساكنًا.. هؤلاء انتهى أمرهم كرجال من زمن.. ربما انتهى أمرهم كبني آدمين أيضًا!».

هكذا عادت إلى الزقاق المليء بشباب لم يعودوا رجالًا.....
فجأة سمعت ضوضاء..

فجأة رأيت منظرًا يشبه الغوغاء عندما هاجموا الباستيل.. حوالي عشرة رجال يحملون السيوف والعصي ويهرعون نحونا.. وهتف أحدهم وهو يشير لنا:

- «هؤلاء سرقوا المحمول!.. أنا رأيت الفتاة تدسه في جيبها!».

-٤-

إذن هي فعلتها!..

متى وكيف؟.. لم ألحظ هذا قط...

انقض بعضهم على الزقاق فهرعت ألحق بهم، لأجد جرمينال تستند إلى جدار، وهي تمسك بالمحمول كأنها كانت تحاول طلب رقم.. رقم أمها في (يوتوبيا) طبعًا... كانت ترتجف وعلى وجهها أعنف رعب رأيته في حياتي.. قطط قليلة أظهرت هذا الهلع وهي محاصرة في ركن زقاق..

من فرط الانفعال، راحت تهرش صدرها وشعرها في فظاظة وبحركة مضحكة، كأنها تقول لهم: أنا لست من تظنون.. أنا عامرة بالبراغيث!.. انظروا!

همس (جابر) في أذني:

ـ «أحمقان!... من الذي يبيع المحمول وبه خط؟... هذا يسهل اقتفاء أثره!».

خرج الرجال من الزقاق وهم يمسكون بجرمينال.. وأقسم أحدهم أنها يجب أن تلقى عقابها هنا والآن وبطريقة الإيذاء

المهينة التي يجيدها الرجال مع النساء.. لقد تحول هؤلاء القوم إلى مخلوقات أبعد ما تكون عن البشر.. قشرة المخ لم تعد تؤدي أي دور معهم.. فقط يتحركون للجنس أو العنف.. الاغتصاب يمنح الشيئين معًا..

قال (جابر) وهو يقف وسط هؤلاء المسعورين:

- «اسمعوا.. هذه الفتاة جائعة.. أكثر جوعًا منا.. كلكم سرق يومًا بسبب الجوع.. لقد أخذتم ما لكم فاتركوها..».

ثم هوى على خدها بصفعة ألقت بها مترين إلى الوراء:

- «متسول يسرق متسولًا!.. كانت الحمقاء تحلم بالاتصال بأخيها الذي خطفوه في (يوتوبيا)!».

هنا فقط هدأ الجميع، وقال أحدهم وهو يرفع يده بما معناه (انتهى التجمع يا رجال):

- «لن يعود.. سوف يتسلون عليه ثم يقطعون يده ويلقون به في الصحراء، ثم يذهبون لأداء العمرة سائلين الله أن يغفر لهم..».

كانت جرمينال تبكي فعلًا، فازداد بكاؤها حرقة.. هذه جاءت في الوقت المناسب لأنهم تفرقوا وهم يضربون كفًّا بكف..

عندما ابتعد الجميع، دنا منها (جابر) ووجه لها ركلة في خصرها أسقطتها أرضًا، وقال:

- «يا بنت الـ (..)... أقسم بالله أن هذه آخر مرة أحاول حمايتكما.. قلت لكما أن تتصرفا على مسئوليتكما الخاصة لو لم تنفذا أوامري..».

* * *

تلمظ أحد الرجلين حالمًا، بينما ظهر الشيء الذي كانوا ينقبون عنه.. بوابة حديدية صغيرة مدفونة تحت طبقات من الرمل، وقد أزاحها المدعو (حبارة)؛ فرأينا درجات خشبية مثبتة في جدار رأسي..

قال (جابر) وهو يصوب الكشاف إلى داخل هذه البئر:

ـ «انزل يا (حنفي) أنت و(نفيسة)..».

* * *

نهضنا ومشينا وراء (جابر) في خجل ونحن نبصبص بأذيال وهمية.. لقد جاءت إذن اللحظة التي يصفعنا ويركلنا فيها واحد من هؤلاء.. صحيح أنه فعل ذلك كي لا يمزقنا آخرون، لكني لا أقبل أن يمد أحد يده عليَّ.. حتى (مراد) و(لارين).. لقد رددت الصفعة لـ (مراد) ذات مرة.. أصيبت (لارين) بنوبة هستيرية لأنني مددت يدي على أبي، فقلت لها إن هذا ليس تفضلًا منه.. أما وقد جاء بي للعالم، فعليه أن يتحمل مسئولياته في شجاعة..

قلت لجابر في اشمئزاز:

ـ «لو ظننت أننا سنبقى هنا للأبد فأنت مخطئ».

قال دون أن ينظر لي:

ـ «لم أتوقع هذا.. كما قلت: أنتما حران في أن تتصرفا أو تفرا، لكني أعرف ما سيحدث بعد دقيقة.. لو أردتما البقاء معي فعليكما الامتثال التام لكل ما أقول.. أنا من يضع الخطط ويختار اللحظة المناسبة..».

١١٧

أذناه مليئتان بالصماخ..

أصابع قدمه متقرحة تطل من صندل حقير..

نظارته ملحومة بالنار..

عينه تالفة..

غده أسود..

أخته حيوان مصدور..

طعامه فاسد..

كتبه بالية..

أحلامه موءودة..

أفكاره عتيقة..

أظفاره مسودة..

شعره مجعد معجون بالتراب..

اسمه (جابر)...

قومه رعاع..

أصدقاؤه حثالة..

برغم هذا كله، يمشي كالبشر ويتكلم كالبشر..

برغم هذا كله، لم يرتم عند قدمي متوسلًا لي كي أقطع ذراعه..

برغم هذا كله، يصفع جرمينال ويهددنا..

ما أحمق هؤلاء القوم، وما أشد سذاجتهم!

كانت هناك بائعة عجوز تضع كومة من الصحف.. صحف جديدة غير مقروءة.. يبدو أنها تبيعها بالكيلو.. وثمن خمسة الكيلوجرامات بيضة كما قالت..

ابتاع منها بعض الصحف مقابل علبة ثقاب، ثم عاد لنا وهو يتصفح تلك الأشياء.. ناولنا واحدة منها وقال:

ـ «هذه هي الصحافة الوحيدة الرائجة اليوم.. خليط عجيب مريض من الجنس والدين والخرافات ونظريات المؤامرة.. غلاف الجريدة لا يخلو من عبارات (كشف المستور) و(في الغرف المغلقة) و(الجن) و(الاغتصاب).. إلخ.. مع تلميح عام يوحي بأن كل النساء عاهرات، وكل الرجال قوادون.. لابد من عدة صور عارية من المجلات الأجنبية، مع وضع علامة سوداء على العينين، كأنهم لا يريدون فضح البريئات صاحبات هذه الصور.. وبرغم جو الانفلات الجنسي العام فإن العاهرات الفقيرات قبيحات كالأبالسة؛ لهذا يبتاع الشباب هذه الجرائد بحثًا عن فتيات حسناوات نظيفات لا يبصقن دمًا.. أما النوع الآخر من الصحافة..».

وفتح جريدة أخرى وأردف:

ـ «.. فهو عبارة عن رسائل حب موجهة للحكام.. هذه يصدرها قوم من يوتوبيا وسواها كانوا منا ثم سمح لهم الحكام بأن يعيشوا هناك، مفعمين بعرفان بالجميل وامتنان وتهيب يبلغ درجة العبادة.. هذه مشاعر تفوق مشاعر كلب وضع سيده أمامه خروفًا مشويًا ينز منه الدهن.. لهذا يكتبون كلامًا لا يعني أي طرف ولا أحد يقرؤه

إلا الحكام.. بالواقع لا يقرؤه الحكام لأنهم مطمئنون له. هذه المقالات نوع من بصبصة بذيل فكري. فيما مضى كانت هناك معارضة وكانوا يهتمون بمهاجمة هؤلاء الكتاب، ثم فهموا أن تدخلهم في رسائل الحب هذه قلة ذوق.. كأنك تقرأ خطابات غير موجهة لك!».

ثم أضاف وهو يطوح بالجريدة:

ـ «هذه الصحف سلعة ممتازة للف الأشياء... كما أنها حلت مشاكل غياب المياه!.. ».

لم أكن ذا مزاج للمزاح، فقلت له:

ـ «ماذا تنوي عمله معنا؟».

ـ «سأرجعكما إلى (يوتوبيا) طبعًا.. لا نية لي في قتلكما..».

ـ «وكيف؟».

نظر لي في غموض ولم يتكلم..

الجزء الرابع
الفريســــة

-١-

قرنيتي الحبيبة.. وحلم ما بعد الجنس...

أعرف أنني سأموت بعد يوم واحد لا أكثر، فلا تقل العكس.. لا تكرر هذا الهراء وإلا طعنتك بمطواتي. دعني أحلم مرة أخيرة..

كنت أكرههما كالصراصير. من الجميل أن تكره بصدق وحرارة. منذ دهور لم أكره شيئًا بهذا الصدق.. كل شيء ألقاه بعاطفة اشمئزاز عميقة لكن لا كراهية. أنت لا تكره البصاق.. فقط تشمئز منه..

من الجميل أن تكره...

برغم كراهيتي تلك - وربما من أجلها - لا أنوي قتلهما..

همـا تحت رحمتي تمامًا، ولـو فتحت فمي فلن يطول الأمر قبل أن أراهمـا قطعًا من اللحـم المفروم تأكلها الـكلاب لو كانت هناك كلاب.

لكني بالفعل لا أريد دمًا.. لا أريد قتلى..

هـذه هـي النقطة التـي تحـدد كل شـيء.. الدليل الوحيـد الذي يخبرني أنني ما زلت آدميًّا ولم أتحول إلى ضبع، أنني في هذا أتفوق عليهما.. أتفوق على أهلي وجيراني.. أتفوق على ما كنته أمس..

لا أريد دمًا.. لا أريد قتلى..

الأهم أن كل لحظة تشعرني بأن وجوه التشابه بيننا قوية جدًّا..

كلانا هنا وهناك نعشق العنف..

كلانا هنا وهناك نحب المخدرات..

كلانا هنا وهناك نرى أفلام الاغتصاب في نهم..

كلانا هنا وهناك نتكلم عن الدين طيلة الوقت..

هناك يتعاطون المخدرات ليفروا من الملل..

هناك يحترفون الدين لأنهم يخشون أن يضيع هذا كله، وهم لا يعرفون لماذا ولا كيف استحقوه...

هنا نتعاطى المخدرات لننسى عذاب اللحظة..

هنا نحترف الدين؛ لأننا لا نطيق أن تكون معاناتنا هباء بلا ثمن.. العقل البشري لا يتحمل فكرة مروعة كهذه وإلا جُنَّ...

لهذا لا أريد دمًا.. لا أريد قتلى...

ولكن كيف أفعل هذا، بينما (سمية) تزوم كضبع غاضب؟

* * *

الشخصية المصرية قد لاقت الكثير من المرمطة في المائة العام الأخيرة حتى صارت كزوجة عاملها زوجها بتوحش عدة أعوام؛ من ثم أصبحت هي ذاتها أقرب إلى الوحشية والشراسة. وكلما زاد الجهل قلت سيطرة قشرة المخ على السلوك، وهذا يجعل الجرائم التي ترتكبها الطبقات الدنيا حيوانية بالمعنى الحرفي للكلمة..وفي

١٢٣

النهاية، يقف القاتل ناظرًا لعدسات الصحافة النهمة بعينين غبيتين زائغتين ويكتفي بترديد: (أصل الشيطان وزّني)..

(سمية) جاءت في الخامسة عصرًا إلى كوخي..

كانت ثملة أو هذا ما قدرته من مشيتها المترنحة ولسانها الثقيل. جلست القرفصاء على الباب مباعدة ساقيها لتتفادى بركة ماء آسن صغيرة هناك، وراحت تهرش شعرها بعنف...

قالت وهي تنظر لي بعينيها القاسيتين الصغيرتين:

ـ «أنت كاذب ابن كاذب..».

كنت أعرف ما تريد قوله، لكني تظاهرت بالغباء وسألتها عما هنالك، فقالت:

ـ «أنت تعرف أن الفتى ضربني على عنقي.. بعدها لم أشعر بشيء.. لكنني أعرف جيدًا أنه ضربني... أنت كذاب ابن كذاب.. قلت إنني سقطت دون أن يلمسني، ولولاك لمزقه الرجال..».

قلت وأنا أجلس القرفصاء بقربها:

ـ «أنا رأيتك تسقطين، ولم أرَ أنه ضربك كما تقولين».

كانت غبية حيوانية.. لن أندهش لو قضت حاجتها وهي جالسة حيث هي... حيوان بليد يجلس هناك على عتبة داري ويهرش رأسه بلا توقف..

ـ «لم أستطع أن أعمل يومين كاملين.. أحيانًا أشعر كأنه أطار من عقلي برجين.. عمي يضربني بلا انقطاع.. ».

١٢٤

ثم قالت في حزم ووجهها القبيح يتقلص:

ـ «سـوف أخبر عمي أن الرجل ضربني.. السرجاني سوف يأخذ بثأر ابنة أخيه.. ».

نعـم.. السرجاني لا يرحم من يتلف بضاعتـه.. أنا أعرف هذا.. كله إلا عدة الشغل.. السـرجاني يغـار على (عزة).. يحمل مطواة قرن غزال يمكنه أن يرشقها في زجاج نظارتي. (السرجاني) الضخم يشتهي (عزة).. السرجاني أخذ قرنيتي مني..

ملت على سمية وقلت همسًا:

ـ «سـمية.. أنا أعرف هذا الفتى.. بينـي وبينك هو صاحب مزاج خاص.. هناك رجال لا تكتمل لذتهم إلا بضرب الأنثى..».

قالت في دهشة:

ـ «كل الـرجال لا تكتمل لذتهم إلا بضرب الأنثى، والسبب أنهم أنجاس وأولاد (...)».

ـ «ليـس كل الضرب سواء.. الضرب الذي تتلقينه مـن الزبائن يختلـف عن تلك الضربة القوية على جـذور العنق.. الفتى صاحب مزاج يحب أن يضرب الفتاة حتى تفقد وعيها وتصير عجينة لينة بين يديه.. وقد صارحني بهذا، وهو مسـتعد أن يدفـع.. والغاوي ينقط بطاقيته ».

وأجريت حسبة صغيرة على أصابعي:

ـ «أنـت لـم تعملي يومين.. لنقل إن هذا معنـاه مائتان في اثنين.. أربعمائـة جنيه كاملـة.. سـوف نضيف مائة مـن أجل الألـم الذي

تشـعرين بـه.. إذن هي خمسمائة جنيه لك وحدك.. بما أن عمك لن يعرف شيئًا فلن يأخذ شيئًا..».

ضحكت ضحكة رقيعة متوحشة.. وقالت:

ـ «خمسمائة جنيه لي وحدي؟».

ـ «نعم...».

ـ «وأنت؟».

ـ «أنـا مسـتفيد طبعًـا.. لهـذا أدافـع عنـه.. من واجبـي أن أوفر له مزاجه ما دام يدفع.. إنه ـ بيني وبينك ـ يسـرق سـكان يوتوبيا. لهذا معه مال كثير ومعه فلوجستين..».

ـ «فلوك؟».

قالتها بنظرة حالمة تسبح في سموات التأمل الكيميائي..

ـ «نعم.. فلوك.. تصوري هذا.».

ـ «هئ هئ هئ...».

تركتها حيث هي وهرعت إلى داخل الكوخ.

كان الفتى جالسًـا على الأرض ينظر إلى السـقف شـارد الذهن، بينما الفتاة تجلس جواره وقد أراحت رأسـها على كتفه. قلت له في عصبية:

ـ «اسمع.. هل معك فلوجستين؟».

ـ «أنت تعرف أنك أخذت كل ما كان معي..».

ـ «هل معك نقود؟».

قالت الفتاة وهي تعبث في حذائها:

ـ «معي.. كم تريد؟».

ـ «هاتي خمسمائة جنيه.. بسرعة!».

ناولتني ورقة نقد فئة خمسمائة، فكومتها في يدي وخرجت إلى حيث كانت سمية جالسة هناك القرفصاء تردد بلا توقف كأنه لم يكن هناك أي حوار قبل هذا:

ـ «هو ضربني.. ضربني.. وأنت كذبت.. لولاك لمزقه السرجاني».

دسست الورقة في يدها وقلت:

ـ «هي لك وحدك.. قلت لك إن الفتى صاحب مزاج.. فقط لا تقحمي السرجاني في الموضوع. الفتى قد يطلب منك خدمة أخرى اليوم أو غدًا، وسيدفع ما تريدين».

ـ «رقبتي!».

وتحسست عنقها، وبدا أن هذه الدعابة السخيفة السطحية راقت لها، فراحت تضحك بلا انقطاع، ثم أفرغت أنفها على الأرض وابتعدت....

لا تنكر أنني أجيد معالجة الأمور الصعبة... سوف تعود لتطلب المزيد لأن الابتزاز لعبة من تعفنت روحه، لكني آمل أن يكون الفتى وفتاته قد عادا لعالمهما قبل ذلك..

-٢-

في أوائل القرن الحادي والعشرين، وفي آخر إحصاء أمكن عمله، كان هناك ٣٥ مليون مصري يعيشون تحت خط الفقر، وكذا كانت البطالة التي وصلت إلى أعلى معدلاتها العالمية (١٠ ملايين عاطل).. لاحظ أن ٧٨٪ من مرتكبي الاغتصاب عاطلون.. أي إن جريمة الاغتصاب هي - في الحقيقة - اغتصاب للمجتمع. دعك بالطبع من ذوبان الطبقة الوسطى التي تلعب في أي مجتمع دور قضبان الجرافيت في المفاعلات الذرية.. إنها تبطئ التفاعل، ولولاها لانفجر المفاعل.. مجتمع بلا طبقة وسطى هو مجتمع مؤهل للانفجار..

وهذا هو ما حدث بالضبط، لكن الانفجار لم يقضِ على الطبقة الثرية.. لقد نسف ما تبقى من الطبقة الوسطى، وتحول المجتمع إلى قطبين وشعبين..

فقط أدركت الطبقة الثرية أنه لا حياة لها ما لم تنعزل بالكامل، وبنفس منطق قلاع القرون الوسطى عندما كان الحكام يقيمون الحفلات الماجنة بينما الطاعون يفتك بمحيط الفقر الخارجي. (قناع الموت الأحمر).. أين قرأت قصة تحمل هذا العنوان، ومتى؟ ومن كان كاتبها؟.. لا أذكر..

قرأت كثيرًا جدًّا.. قرأت كل شيء.. حتى أذابت الحروف بعضها... وحتى صرت لا أنتمي للأغيار ولا أنتمي ليوتوبيا.. في كل موضع أنا غريب مختلف شاذ أحمق، غير متكيف غير مندمج...

* * *

هل كان في وسع أحدهم منع هذا؟

لا أعرف.. أنا لست اقتصاديًّا ولا سياسيًّا.. دعك من أنني لم أتلقَ تعليمًا منتظمًا منذ دخلت الجامعة المجانية..

فقط، كانت هناك مؤشرات مخيفة وكان على الجميع أن يتنبهوا لها.. عندما تشم رائحة الدخان ولا تنذر من حولك، فأنت بشكل ما ساهمت في إشعال الحريق..

عندما أفحص صحف العشر السنوات الأولى من القرن، أشم الكثير جدًّا من الدخان.. أوراق الصحف تفوح برائحة الدخان.. فلماذا لم يفعل أحد شيئًا؟

لأن الجميع تواطأ علينا..

الجميع تواطأ عليَّ أنا؛ كي أعيش بلا مأوى..

بلا مأكل..

بلا مشرب..

بلا ثياب..

بلا سقف..

بلا حبيبة..

بلا كرامة..

بلا أسرة (باستثناء صفية)..

بلا ثلاجة..

بلا جهاز هاتف..

بلا جهاز تلفزيون..

بلا ربطة عنق..

بلا أصدقاء..

بلا حذاء..

بلا سراويل..

بلا فلوجستين..

بلا واقٍ ذكري..

بلا أقراص للصداع...

بلا مؤشر ليزر..

وأخيرًا بلا أحلام..

يومًا ما، سأموت ولسوف أعود لهم في صورة عفريت أو شبح، ولسوف أجعل حياتهم جحيمًا.. لن يكون أحدهم في مأمن مهما توارى بعيدًا عني..

لكني لن أقتل هذين...

* * *

الفتى كان جالسًا لا يعمل شيئًا..

قلت له بلهجة آمرة:

- «أنت هنا تأكل من طعامي وتنام تحت سقفي، فلابد من أن تجرب أن تجد قوت يومك..».

نظر لي في تحدٍّ. يتمنى أن يمزقني لكنه تحت رحمتي بالكامل؛ لهذا يصمت.. لو كان يملك شيئًا واحدًا محترمًا فهو الذكاء. قال لي:

- «معنا بعض المال.. فهل هذا ما تريد؟».

قلت في اشمئزاز:

- «لا أريد شيئًا من مالك.. أريد أن تساعدني..».

كان هناك الكثير من العمل في شبكة مترو الأنفاق، لكني لن أطلعه على شيء منها. لو عاد هذان لعالمهما، فلا أريد أن أجد السُّلطات تقوم بسد شبكة المترو بالكامل بالخرسانة.. سيكون معنى هذا أن نختنق...

تلك الشبكة هي عالمي الخاص الذي أعرف كل شبر منه وأصير ملكًا...

قلت لـ (صفية) همسًا وأنا أناولها القنينة:

- «كما قلت لك.. لا تكثري منه ولا تجربيه».

وغادرت الكوخ مع الفتى ماشيَيْن وسط أطنان المخلفات وبقايا المجاري، وسط الصبية الذين يتشاجرون ويقذفون بعضهم بالمخلفات...

مشينا نحو ربع ساعة وسط بقايا المدينة هذه، وأخيرًا وصلنا لساحة المعلم (طه) التي يحيط بها السياج. على الباب يلقاك ذلك البلطجي الذي لا أعرف دوره بالضبط، وهو غالبًا يرهب القادمين لا أكثر. يقدم لكل منا مدية. في الداخل مساحة من الأرض تقرب

من مساحة ميدان صغير، وهناك نحو خمسين من أمثالنا يعملون بلا توقف.

هناك كومة في الركن من الدواجن النافقة. كومة ارتفاعها خمسة أمتار تقريبًا.. لا رائحة لأنها نفقت اليوم فقط في مزرعة ما خارج القاهرة.

على الكومة الثانية، تقف مجموعة من النسوة يقمن بإزالة الريش.. هناك قيزانات ماء ساخن يتصاعد منها البخار. يجب الحذر في هذا الجزء بالذات بسبب الحروق.

ترتفع الكومة الثالثة من جثث الدجاج العارية.. ترتفع في كل لحظة.. لو كان البشر دجاجًا لكان هذا المكان مقبرة جماعية...

قلت للفتى وأنا أخرج مديتي:

- «تنظِّف أم تُشَفِّي؟».

نظر لي في حيرة وقد تقلص وجهه اشمئزازًا فقلت مفسرًا:

- «أي تشق البطن وتخرج الأحشاء، أم تقوم بتجريد العظام من اللحم؟».

- «لن أستطيع أن أقوم بهذا ولا ذاك».

نظرت حولي لأتأكد من أن أحدًا لن يسمعني:

- «لا أحد يعيش هنا من دون عمل.. عمل قذر.. عمل حرام.. عمل غير قانوني.. ليكن ما يكون.. المهم أن تعمل.. لن أصرف عليك مليمًا بعد اللحظة..».

قال في غيظ وقد أوشك على الانفجار:

ـ «تتحدث عن الإنفاق عليَّ كأننا ننام في قصر ونستحم بماء الورد ونأكل نعامًا.. كم يكلفك هذا الفول الحامض ونومنا في عشة دجاج؟».

صَهٍ!... رفعت إصبعي إلى شفتي منذرًا:

ـ «لو سمعوا لهجتك المدللة هذه ومخارج حروفك لسلخوك بدلًا من الدجاج.. أنت تفضح نفسك في كل لحظة!».

هز رأسه في عناد البغال، ثم اتجه إلى الكومة المجاورة التي يعمل عليها أربعة.. كومة (تشفية) الدجاج.. بالمدية ينزع اللحم عن العظام وهو يضع الدجاجة كاملة على حجر أملس.. يلقي باللحم على كومة مجاورة، وبالعظام على كومة أخرى..

خط تجميع لابد أنه كان سيروق للخواجة (فورد) الذي صدعونا بالكلام عن عبقريته في ابتكار خطوط تجميع السيارات في القرن الماضي..

قلت له وأنا أمسك بالدجاجة الأولى وأشق بطنها:

ـ «هاك... عندما ننتهي سوف نخرج من البوابة الخلفية وسوف نأخذ نصيبنا.. نحو دجاجة لكل واحد منا.. من أين تحسبنا نحصل على اللحم؟.. هذا الحفل لا يقام يوميًّا.. هناك أيام يكتفون فيها فلا يسمح لنا بالعمل أصلًا».

قال في اشمئزاز:

ـ «دجاج ميت؟».

أطلقت صوتًا قبيحًا من حلقي وقلت:

ـ «هل حقًّا يبالي قومك بالذبح الحلال أيها النصاب؟».

ثم قلت لنفسي: إنهم على الأرجح يبالون.. يدققون جدًّا في ذبح الدجاج، لكنهم لا يدققون بصدد ذبحنا.. لا يسمّون علينا ولا يحسنون قطع الوريد.

راح يؤدي عمله معذبًا مشمئزًا تعسًا كاسف البال حانقًا مغتاظًا.. لا بأس.. بعض أنواع الانتقام لا تتضمن القتل، وبرغم هذا هي ممتعة شهية..

جرح نفسه ألف مرة، وصار الدم الذي يغطي يده خليطًا من دم الدجاج ودمه. دعه يجرب.. دعه يتعلم.. دعه يتألم...

كان هناك فنان عالمي اسمه شارلي شابلن.. أنا أعرفه ولا أدري إن كنت مثلي أم لا. ذلك الفنان صنع شهرته من إظهار بطله الفقير الضعيف ينتصر على الأثرياء وعلى رجال الشرطة. قال ذلك الفنان ذات مرة: يلقى الأثرياء في أفلامي شر مصير.. يتعثرون وينزلقون فوق قشور الموز؛ لأن أغلب الناس يحبون أن يروا الأغنياء المتغطرسين يفقدون كرامتهم. السبب أن معظم الناس ـ في الحقيقة ـ فقراء..

تباطأ الفتى أكثر من مرة فقلت محذرًا:

ـ «إنهم يراقبون.. لو رأوك تتكاسل لطردوك شر طردة ولن تأخذ شيئًا.. ».

وهكذا ظللنا نعمل نحو الساعة.. لكني لم أكن مستعدًّا لقضاء اليوم كله هنا..

-٣-

عندما ازداد الزحام وكثرت الوجوه، لم أعد أرى الفتى..

ربما كان هناك جواري، لكنه غارق في الدم والعرق فلا يبدو منه شيء..

هنا فقط أمكنني أن أهرع إلى الباب الخلفي للساحة، وكان (خليل) يقف عليها كالعادة.. نظر لي في دهشة وقال:

ـ «مرة أخرى؟.. لن أحميك للأبد..».

قلت وأنا أناوله المدية الدامية (لأنه من الممنوع أن تعود بها لدارك):

ـ «بل تفعل.. إن هي إلا نصف ساعة.. ».

ـ «فلوك ».

ـ «لك هذا.. أنا أفي بوعودي..».

هكذا أفسح لي الطريق كي أمر. هو يعرف أنني سأعود من الطريق ذاته، ولسوف يسمح لي بالدخول والعمل بعض الوقت قبل أن أتقاضى أجري كاملًا. إنه يقف هنا لمنع هذا الشيء بالذات...

أركض ركضًا هذه المرة؛ لذا بلغت داري خلال ربع ساعة.. لن أحتاج إلا إلى عشر دقائق ثم أعود في ربع ساعة آخر..

كانت صفية بالداخل بانتظاري..

غسلت وجهي ويدي بسرعة من آثار دم الدجاج. قد أتحمل القذارة لكني لا أتحمل الدم أبدًا.

فتاة يوتوبيا فقدت وعيها طبعًا بسبب مزيج دواء السعال مع أبي صليبة، مع الأفيون الذي شربته من يد صفية. لا أحد يتحمل هذا المزيج اللعين ما لم يكن قد جربه خمس مرات من قبل. لم تكن جثة هامدة فأنا لا أرغب في مضاجعة جثة، لكنها كانت في حالة من الاستسلام التام الناعس.

كانت صفية الوفية قد فعلت كما أمرتها.. غسلت وجه الفتاة المتسخ وقدميها القذرتين اللتين صارتا تشبهان أقدام نسائنا..

قلت لها وأنا ألهث بعد ركضي:

ـ«شكرًا يا صفية.. والآن انصرفي.. لن أستغرق أكثر من عشر دقائق».

مسحتْ بأناملها على شعر الفتاة الناعم وقالت:

ـ«خذ راحتك.. إن جلدها أملس كجلد الأطفال.. أنت تستحق الراحة.. شقيان.. تحتاج إلى شعر نظيف وجلد أملس.. خذ راحتك... فليغسل جمالها أدران روحك».

الغريب أنها كانت متأثرة من أجلي، رطبة العينين، ومسلكها أقرب إلى حنان الأمهات.. بدا لي كأنها ترغب في الانتظار لترى ما سأفعله ولتطمئن على أنني سعيد، لكني لا أسمح بتاتًا بشيء كهذا.. صفية سوف تظل نظيفة.. تعرف لكنها لا تسمع.. تسمع لكنها لا ترى.. ترى لكنها لا تلمس..

غادرت (صفية) المكان فانفردت وحدي بفتاة يوتوبيا..

عاجزة.. غائبة عن الوعي.. لا تقدر على عمل شيء..

إنه النصر!..

هـذا هو النصر الوحيد الذي أسـتطيع تحقيقه.. قهر هـذه الفتاة ليس قهر أنثى، بل هو قهر طبقة بأكملها. قهر ظروف...

سوف ترى على يدي ما لم تره من قبل. أليس فتيان يوتوبيا فتيات لهن شوارب؟.. ألسنا ـ نحن الفحول ـ الذين ترتجف نساؤهم خوفًا منّا واشتهاء لنا؟.. ألا تتمنى الواحدة منهن بيـن ذراعي زوجها أو عشيقها أن يغتصبهـا أحدنا؟.. ألسـنا نحـن كابوس رجـال يوتوبيا وهمهم المقيم؟.. أليسـت الرجولة قمحًا ينضج في شمس المعاناة اليومية؟

الفتى ملطخ بالدماء في سـاحة المعلم طه وسـط الدجاج، وأنثاه هنا تحت رحمتي..

كنـت أرتجف مـن هول الفكرة. تـوارت (عـزة).. (عواطف).. (نجاة).. توارى حلم ما بعد الجنس..

انتقامي سـوف يكـون مريعًا.. انتقامي سـيكون جديرًا بأن يكون انتقامًا..

سوف......

سوف...

ماذا يحدث لي؟

كلما نظرت لوجهها لم أرَ إلا وجه صفية الأسمر. تلاشت فتاة يوتوبيا المدللة، فلم أعد أرى إلا وجه صفية القسيم المفعم بالبؤس برغم هذا..

لقد انكمشت رغبتي تمامًا، وصار جسدي قطعة من الثلج.

فقط رحت أضرب خديها في غلظة وهي تئن ولا تفتح عينيها. أهزها من كتفيها في عنف.. أجذب خصلة شعر هنا وهنا ثم لا شيء.. هذا كل ما لديَّ...

لا أستطيع ولا أرغب....

ماذا دهاك؟... هل سلطة يوتوبيا عليك مطلقة إلى هذا الحد؟.. هل صارت يوتوبيا تسيطر على هرموناتك وغدتك النخامية وغدتك الكظرية ونسيجك الكهفي وجهازك السمبثاوي؟... هل إلى هذا الحد تغلغلت فيك؟

أهي سيطرة يوتوبيا، أم هي سلطة ضمير كاسحة تجعلك ترى كل فتاة هشة معدومة الحيلة كأنها صفية أخرى؟

لن تعرف.. لن تعرف أبدًا..

فقط أنت موقن من شيء واحد: فلتنم هذه الفتاة في سلام، ولتعد أنت إلى المذبح لتواصل انتزاع أحشاء الدجاج...

* * *

عندما عدت إلى ساحة المعلم طه لم أبحث عن الفتى..

فليذهب للجحيم.. رحت أواصل عملي المرهق في تنظيف

أحشـاء الدجـاج، وبعـد سـاعات تلاشـت الكومـة الأولـى والثانية والثالثـة والرابعـة ولـم تعد هناك سـوى بضع أكـوام يتـم نقلهـا إلى الأسواق..

بمجرد أن تنتهي كومتك تتجه للباب الخلفي للساحة حيث يقف (خليل). يناول كل من يخرج نصيبه من الدجاج.. مجموعـة أشـلاء أعتقد أنها تكفي لعمل دجاجة كاملة.

مشـيت بعـض خطوات فوجـدت الفتى يقف ينتظرنـي وفي يده نصيبه.

كان غارقًا في الدم والعرق.. بعض الدم كان دمه هو.. ناولني ما في يده بطريقة تقول: (ها هو ذا ما أردته.. فخذه واخرس)..

قلت له محاولًا أن يخرج صوتي مزاحًا:

ـ «اليوم تأكل من عمل يدك للمرة الأولى».

قال من بين أسنانه:

ـ «أولًا كف عن الدروس الأخلاقية فقد سمعت منها ما يكفيني.. ثانيًا أنا لن أذوق هذا الشيء.. لقد عافت نفسي الدجاج للأبد».

وهكذا عدنا صامتين إلى بيتي..

لـن يعرف مـا حدث؛ لأن الفتاة سـتكون (مسطولة)، ولسـوف تعتقد أن أي شيء رأته أو شعرت به أضغاث أحلام..

لا أريـده أن يعـرف.. ليس لأنني أخشـاه.. بل أخشـى أن يعرف أنني عجزت عن إيذائه عندما كان هذا في وسعي..

يبدو أنني عاجز عن قتلهما كذلك..

بونابـرت وقف يومًا أمام الجنود الذين جاءوا للقبض عليه وفتح صدره وقال: أنا هو إمبراطوركم فاقتلوني!.. لكن الجند لم يفعلوا.. هيبة الإمبراطور جعلتهم يجثون على ركبهم أمامه وهم يبكون.

لكن الفتى ليس بونابرت.. تبًّا!... إنه مجرد حيوان شـهواني من يوتوبيـا لا يملـك أي قـدر من الهيبة.. المشـكلة أن يكـون قد خلق حاجزًا نفسـيًّا من العبودية داخلي.. المشكلة أن أقتنع أنا نفسي بأنه أفضل وأروع وأكمل وربما أتقى..

أنا عاجز عن قتلهما..

السـؤال الوحيـد هو : هل هـذا لأن يوتوبيا أقوى منـي، أم لأنني أقوى مني؟

- ٤ -

«إحنا شعبين.. شعبين.. شعبين
شوف الأول فين والتاني فين؟
وآدي الخط ما بين الاتنين بيفوت
إنتم بعتوا الأرض بفاسها.. بناسها
في ميدان الدنيا فكيتوا لباسها
بانت وش وضهر...
بطن وصدر..
والريحه سبقت طلعة أنفاسها
واحنا ولاد الكلب الشعب
إحنا بتوع الأجمل وطريقه الصعب
والضرب ببوز الجزمة وبسن الكعب
والموت في الحرب..».

عبد الرحمن الأبنودي

* * *

السرجاني هو أول من فاتحني في الأمر.

أنا لا أحب السرجاني فهو من كلفني قرنيتي. صحيح أن الحياة

استمرت بعد ذلك؛ لأن الخطوة التالية هي أن يفتك أحدنا بالآخر.. وأنا لن أقدر على قتله.. إذن الخطوة التالية هي موتي أنا.. لهذا توقفت الأمور عند هذا الحد..

صحيح.. كل هذا صحيح، لكنك لا تستطيع أن تحب من أتلف قرنيتك مهما حاولت. هو كذلك لا يحبني لأن (عزة) كانت تميل لي.

السرجاني هو من جاء لي حيث كنت جالسًا خارج الدار أدخن البانجو، جالسًا القرفصاء أفكر.

غرس السنجة التي يحملها في الطين الجاف، وجلس جواري وقال وهو يتناول اللفافة من يدي بلا اكتراث:

ـ «صباح الطعامة يا أبو جابر».

ونفث سحابة كثيفة من الدخان، وراح يتأمل الرماد المعلق في شكل قمع طويل. وقال كأنه رجل مهموم بعظائم الأمور:

ـ «هذه الفتاة التي تعيش في بيتك.. لا أتكلم عن صفية طبعًا.. صفية على رأسنا من فوق..».

ـ «مالها؟».

قلتها في اشمئزاز وأنا أعرف ما سيقول حرفيًّا..

قال وهو يعيد لي اللفافة محاذرًا أن يسقط الرماد:

ـ «تلزمك؟».

ـ «ولو لم تكن؟».

ـ «اليد البطالة نجسة».

- «تكلم بوضوح يا سرجاني».

الموضـوع مهم فلا مجال لهـذه اللغة التلغرافية التي نسـتعملها منذ عشـر سـنوات.. لغة من رأى كل شـيء ولم يعد يدهشه شيء.. الآن مجال الشرح والتطويل..

قال لي بهدوء:

- «يمكـن لهذه الفتاة أن تجلب لك الكثيـر من المال بدلًا من أن تكـون عبئًا عليك. الصنف شـحيح وقليل والموجـود رديء.. أنت ترى وجه سـمية البشع الذي يذكرك بالأبالسـة.. هذه الفتاة ستكون مكسبًا لنا معًا..».

قلت في ضيق:

- «أنت أخذت عزة.. ألا تكفيك؟».

- «هـذه مهنة شـاقة.. مهنـة قذرة تبلـي ملامح الأنثى وجسـدها تمامًا.. لابد من التجديد».

ابتسمت في سري.. لو أردت انتقامًا فأي انتقام أبشع من هذا؟.. فتـاة يوتوبيـا تجد نفسـها في هذا الوسـط بين هؤلاء. لكنـي لا أريد ذلك.. سمه انتصارًا على نفسي أو انتصار يوتوبيا عليَّ.. فقط أعرف أنني سأحميهما ما دمت حيًّا وما داما بيننا..

قلت وأنا أناوله لفافة التبغ:

- «هي لا تحب هذا الكار.. هي حرة يا أخي..».

- «كما تحب..».

ثم فكر قليلًا وأضاف التهديد الذي عرفت أنه آتٍ لا محالة:

- «بيني وبينك.. نحن لا نعرف مَنْ هذان حقًا.. أنت قلت كلامًا وألقيت لنا ببعض الفلوك لنتشاجر عليه كالكلاب. سمية تحكي قصة مختلفة.. هذان يبدو عليهما الثراء ولتقطع ذراعي إن كانا عاشا يومًا واحدًا من الجوع قبل قدومهما.. من أين جاءا بكل هذا الفلوك؟... أنت تعرف كما أعرف أن هذين من يوتوبيا.. لا تقل لي إنهما كانا يعملان هناك، بل هما من أصحاب الدار.. أيام كانت هناك كلاب، كان عندي كلب يحرسني ويأكل من طعامي وينام تحت سقف داري، لكن دعني أؤكد لك أنه لم يبدُ مثلي في أي لحظة!.. عاش كلبًا ومات كلبًا.. الغبي ابن الغبي هو من يخلط بين الكلب وصاحبه. هذان ليسا كلبين.. هذان يملكان الكلاب.. فلماذا جاءا هنا؟.. يمكننا أن نتخيل!.. ».

قلت دون أن أنظر له:

- «قصّرْ!».

- «سأقصر.. أنت تعمل مع (عبد الظاهر).. لو عرف أن اثنين من يوتوبيا يعيشان تحت سقف بيتك، فماذا سيفعل؟.. وماذا عن (بيومي) ورجاله؟.. الكل سوف يرقص طربًا وسوف تأتي المنطقة كلها إلى دارك لأخذ حقوقها.. صدقني يا صاحبي، لا أحد يريد لك الأذى، ولا أحد يقبل أن تمس شعرة من صفية.. صفية عزيزة عليَّ كأنها.. كأنها سمية ابنة المرحوم أخي..».

قلت في غيظ ساخر:

- «نعم.. أنت تحرس سمية وترعاها جيدًا فعلًا.. كلنا يعرف هذا».

نظر لي ولم يتكلم، وانصرف دون أن يعيد لي اللفافة..

* * *

لم أكن أحمل هَمَّ (بيومي).. كنت أحمل هَمَّ (عبد الظاهر)..

بيومي وشلته يمثلون الأعداء، وهم خطر في كل وقت وكل زمن، بينما (عبد الظاهر) وشلته هم مصدر حمايتي ونفوذي، ولو انقلبوا عليَّ فأنا ضائع..

عبد الظاهر كان هناك في أنفاق المترو يناقش خطة البايرول للمرة الألف.. منذ أعوام وهو لا يكف عن مناقشة هذه الفكرة، وأنا أقول له إنه مجنون..

ـ «هؤلاء الناس قد يمزحون في كل شيء، لكن لا مزاح في البايرول».

ـ «هذا ما يجعل الخطة ممتازة، وتضعنا في موقف قوي حقيقي».

قلت له ساخرًا:

ـ «إن المخدرات أطارت صوابك يا بن الـ (.....).. تعتقد أنك تكافح الإنجليز في واحد من تلك الأفلام القديمة الأبيض والأسود.. دعك من هذا الهراء وفكر في كيفية العثور على كلب جديد».

عبد الظاهر كان بلطجيًّا، لكنه (جدع) حار الدماء.. ليس مجرد ضبع تثيره رائحة الدم مثل بيومي.. لهذا فضلت أن أكون معه من البداية..

كان بعضنا يجلس فوق عربة مترو يلعب (البرغوتة)، والبعض

جالـس في ركن من المحطة يشـم الكُلَّة.. إنها الظهيـرة لكن أنفاق المترو ليل دائم أبدي.. ربما لهذا تشعرنا بالألفة.

جميل أن تعرف أن كل هؤلاء معك.. يمكنهم أن يهبوا لنصرتك لو تعرضت للخطر.. لهذا أعرف أن صفية سـوف تتزوج واحدًا من هؤلاء. لا سبيل لها للحياة غير هذا.....

مخيف بما يفوق الوصف أن ينقلبوا عليك..

قـال لي (عبد الظاهـر) وهو يدقق في وجهي بعينيه الواسـعتين العسليتين اللتين توحيان بالجنون:

ـ «هناك كلام كثير عنك يا صاحبي في الآونة الأخيرة.. ».

رفعـت وجهي في توتر، ونظـرت لوجهـه المترقرق في ضوء المشاعل..

ماذا؟..

قال في ثبات:

ـ «أولًا أنت فررت من مشاجرتنا الأخيرة مع بيومي..».

ـ «أنـت تعرف أنني ضعيف ولا قِبَلَ لي بالانتصار على هؤلاء.. كنتـم تنهزمـون وكان بوسعي أن أبقـى، لكنك كنت سـترثيني الآن باعتبـاري شـهيد الجدعنـة.. هل كنت تفضل هذا؟.. علـى الأقل، أنـا هنا حي أرزق وأتلقى اللوم منك.. لا تنسَ أن سـليمان مات فلم تستطيعوا الدفاع عنه.. ».

لـم تكن هـي أول مرة أفر فيهـا ولن تكون الأخيرة، فلماذا يهتم بالأمر؟

قال من جديد:

ـ «وهذان اللذان في دارك؟.. الكلام كثير عنهما.. يقولون إنهما من يوتوبيا، وإنك تنكر هذا في إصرار.. ما الذي تدبره؟».

لا توجد أسرار في هذه المنطقة... هذا واضح..

أخشى ما أخشاه يحدث الآن..

فتحت كفي وأصابعي ورحت أقسم:

ـ «والله العظيم.. والله العظيم.. أنا لا أعرف من أين جاء هذان.. فقط كانوا سيفتكون بهما وأنا لم........».

قال مقاطعًا:

ـ «كف عن القسم.. كل الناس تقسم طيلة الوقت.. اسمع.. نحن نريدهما.. سوف نعرف أصلهما وفصلهما.. لو اتضح أنهما من يوتوبيا فلسوف نلعب بهما لعبًا ممتازًا.. لن يجدهما الذباب الأزرق، ولربما ساومنا عليهما.. لو كانا مسكينين مثلنا لوجدنا لهما عملًا وحياة..».

رآني مترددًا فقال في حزم:

ـ «جابر.. فكر جيدًا.. لا تخسر كل شيء من أجل كلبين.. لا أعرف أهميتهما لك، لكنهما بالتأكيد ليسا أكثر قيمة من صفية!».

ثم نهض وبصوته الجهوري، صاح في الرجال المتفرقين في المحطة:

ـ «هلموا!.. أريد هذه المشاعل في مكان واحد.. أحد رجال

بيومي هنا في الأنفاق ومعه بانجو.. من منكم يأتيني به ويظفر بنصف ما معه؟».

* * *

عندما غادرت المحطة كنت أعرف يقينًا أنني يجب أن أتصرف الليلة..

لقد اشتمت أنوف كثيرة الرائحة، وتجمع الذباب حول العسل لو كان ما آويه في داري عسلًا.

لو أردت لهما الحياة فليفرا الليلة..

فليفرا فلا يقع عليَّ لوم سوى لوم الغفلة والغباء..

الليلة قبل أن يحدث شيء آخر..

قلت لهما إنهما سيرحلان الليلة، وخرجت أدبر أمري.. هناك الكثير من الترتيبات يجب أن تتم. عدت لهم بعد ساعتين، وكانا مستعدين كما نصحتهما. أحكما مسح وجهيهما بالقذارة وثيابهما صارت أقذر.. الغريب أن صفية أختي بدت نظيفة لامعة براقة وإن لم تبدُ مسرورة جدًّا، حتى خطر لي أنها ربما تميل للفتى..

لا.. ربما هي تميل للفتاة باعتبارهما من السن ذاتها تقريبًا.. سوف تفقد الصديقة الوحيدة التي ظفرت بها في حياتها..

قرنيتي الحبيبة.. وحلم ما بعد الجنس...

أعرف أنني سأموت الليلة فلا تضايقني من فضلك..

دعني أمارس آخر لحظات لي في الحياة..

دعني أجرب أن أحلم...

الجزء الخامس

الصيـــاد

-١-

سوف نرحل هذه الليلة..

(جابر) أخبرنا بهذا.. قال إن الشكوك تتكاثر والذباب يحوم وعلامات الاستفهام تتكاثف والأقاويل تزداد و.. و..... إلى آخر هذا الهراء..

وسوف نرحل هذه الليلة..

نرحل؟

ربما إلى أعلى.. ربما إلى أسفل.. ربما إلى يوتوبيا..

لو لم نتحرك في اتجاه عمودي، فهناك أمل في أن نظل أحياء..

* * *

سوف نرحل هذه الليلة..

عند ساعات المساء الأولى قال لنا إن علينا أن نعد كل شيء. سوف يتغيب ساعتين، ثم يعود ليجدنا متأهبين. نعد كل شيء؟.. هل يوجد معنا شيء نعده؟. بالطبع لا.

لكن (صفية) قالت لنا إن الإعداد هنا يعني المزيد من القذارة.. أحضرت بعض الشحم الأسود وراحت بلمسات أستاذية تضيف القذارة على وجوهنا. أعطتنا ثيابًا أسوأ مما كان علينا..

قلت لها وهي تمسح وجهي:

ـ «ماذا ستفعلين بصدد هذا الدرن؟».

قالت كأن الأمر لا يعنيها:

ـ «سـوف أتعاطى منقوع الأعشاب الذي تعده أم (عبير)، وأدفئ صدري، وفي النهاية سـأموت وسـط بركة دم.. هذا هو كل شـيء.. لكن (جابر) لا يصدق هذا.. يعتقد أنني سأشفى».

ـ «هناك أدوية للدرن...».

ـ «نعم.. وكلها عندكم.. ماذا تتوقع أن أفعل؟».

أردت أن أكـذب.. أقـول لها إنني سـأعود وسـأجلب لها بعض الـدواء مـن أبي.. أبي الـذي لا يمكـن تعاطي قرص أسـبرين في أي موضع من مصر إلا عن طريقه، لكني وجدت أن هذه أسـخف كذبة ممكنة. يمكنني أن أترك لها تذكارًا، لكنه لن يكون علبة دواء.

لما أدارت صفية ظهرها لنا قلت لجرمينال همسًا:

ـ «اسمعي.. أريد أن تغادري الكوخ عشر دقائق..».

نظرت لي في حيرة ثم تقلص وجهها وهتفت مشمئزة:

ـ «هل تمزح؟... هل هذا هو الوقت المناسب؟.. ».

ـ «لابـد لي من تـذكار. قلت لـك إن لها مذاقًا مختلفًا مثيرًا.. هـذه آخر فرصـة في حياتي لتجربـة هذا المذاق.. لـو رحلنا لانتهى الأمر..».

كان وجهها الآن في أقبح صورة، يجمع بين التوحش والاشمئزاز والشراسة. أبشع نمر غاضب رأيته في حياتي :

- «نحن تحت رحمتهم يا حلوف!... ».

- «أعرف كيف أجعلها تصمت.. والآن اخرجي!».

نظرت لي في كراهية عمياء. لم أعرف من قبل أنها تغار عليَّ لهذا الحد. أعتقد أن الأمر يتعلق بكبرياء الأنثى أكثر منه بالغيرة. في يوتوبيا تعرف أنني مع فتاة أخرى كل يومين تقريبًا فلا تتكلم، لكن الأمر بدا لها هنا مهينًا خاصة أنني لم ألمسها منذ جئنا.

انفردت بـ (صفية) على ضوء المشعل، ومنذ اللحظة الأولى عرفتْ ما أريد و....

لا..

هذا ليس حقيقيًّا!

إنها تقاوم بشراسة وعنف.. تقاوم كثور بري هائج.. تخمش.. تضرب.. تركل.. تبصق.. تصرخ.. تولول.. تتشنج.. تبكي.. تسب.. تلعن.. تعض... كنت أحسب الأمر أسهل من هذا بكثير. المفترض أنها ستذوب لفكرة أنني اشتهيتها. رجال الأغيار ليسوا رجالًا حقًّا. لقد قضى الجوع والطعام الفاسد والجوسيبول على رجولتهم، ونحن نظفر بنسائهم بسهولة طيلة الوقت في يوتوبيا، بينما يكتفي رجالهم باصطناع الفحولة والجبروت.. أليست الرجولة حيوانًا يحتاج إلى تغذية جيدة ورياضة وشمس ساطعة؟.. إذن هم لا شيء.. لا شيء....

لكنها قاومت بعنف وبسالة، وكنت أنا معتادًا على العنف على كل حال؛ لذا قيدتها تقييدًا بشرائط مزقتها من قميصي القديم الذي

نزعته. كممت فمها فخرست، وأراحني هذا من فيض بكتريا الدرن المنبعث من أنفاسها على كل حال..

اغتصاب مريضة سل!.. سوف تدخل هذه الواقعة التاريخ. ربما أحكيها مرارًا للأصدقاء في جلسات الفلوجستين لو عدت سالمًا.

مددت يدي بقطعة قماش إلى سطل من الماء ملأته هي، ورحت أبلل قطعة القماش وأنظف وجهها وقدميها لتبدو بشرية نوعًا... بالواقع لم أمس جزءًا منها قبل أن أنظفه بعناية...

رحت أردد في مزيج من نشوة وكراهية وأنا أنتهي:

ـ «يا لقذارتك!... يا لقذارتك!.. هه هه!».

(صراخ مكتوم.. شهيق...).

ـ «ليس فقر كم ذنبنا.. هه هـه... ألا تفهمين بعدُ أنكم تدفعون ثمن حماقتكم وغبائكم وخنوعكم؟.. هه هه...».

(أنين.. بكاء...).

ـ «عندما كان آباؤنا يقتنصون الفرص، كان آباؤكم يقفون أمام طوابير الرواتب في المصالح الحكومية. ثم لم تعد هناك مصالح حكومية.. لم تعد هناك رواتب.. هه هه...».

(شهيق.. حشرجة..).

ـ «أنتم لم تفهموا اللعبة مبكرًا؛ لهذا هويتم من أعلى إلى حيث لا يوجد قاع.. هه هه... ما ذنبنا نحن؟».

(دموع.. نهنهة..).

١٥٣

ـ «عندما هب الجميع ثائرين في كل قطر في الأرض، هززتم أنتم رءوسكم وتذرعتم بالإيمان والرضا بما قسم لكم.. هه هه... تدينكم زائف تبررون به ضعفكم.. هه هه... ».

(عواء.. غرغرة..).

ـ «أنتم أقل منا في كل شيء.. هذه سنة الحياة.. يجب أن تقبلوها.. لم يعد أحد قادرًا على تغيير أي شيء.. شيء.. شيء.... شيء.. شيء.. شيء.. هه.. هه.. شيء.. هه.. هه.. شيء..!».

(توسل مكتوم.. هستيريا...).

كنت قد انتهيت.. صار جسدي كبالون خاوٍ من الهواء، وفي هذه اللحظة بالذات سمعت جرمينال تقول من وراء ظهري:

ـ «ألم تنتهِ بعد أيها الخنزير؟.. أخوها سيعود في أي لحظة..».

ارتميت منهكًا على الأرض جوار الفتاة المنهارة، وقلت لاهثًا:

ـ «صحيح.. أخوها..».

ومن جيبي أخرجت المدية.. المدية التي سرقتها من المذبح عندما كنا ننظف الدجاج. وضعتها تحت عنقها وقلت لعينيها الجاحظتين:

ـ «اسمعي.. ولا حرف عما حدث هنا.. لو أن حرفًا قيل فلسوف.....».

هتفت جرمينال:

ـ «أنت لن تقتلها.. هي مجرد طفلة!».

ـ «ومن تحدث عن قتلها؟.. سأقتل (جابر) يا صغيرة.. سترين المدية تمزق أحشاءه قبل أن يفهم معنى كلامك.. ستعيشين وحيدة للأبد ولسـوف تصير حياتك كلها تكرارًا مملًّا لما حدث الآن؛ لأن (جابر) لن يحضر لك الطعام بعد اليوم.. (جابر) لن يحميك.. ».

ظلت صامتة فعدت أكرر السؤال:

ـ «هل فهمت؟».

وبهـدوء أزحـت اللثام عـن فمهـا.. وفككـت قيودهـا. أمـرت جرمينال بأن تُعْنَى بها قدر الإمكان لتبدو بشرية..

قالت جرمينال وهي تبصق على الأرض:

ـ «هل استرحت يا ابن الـ (...)؟».

قلت في برود:

ـ «استمري.. أنت تكتسـبين لغتهم وعاداتهم يومًا بعد يوم. هذا مفيد لنا كما تعرفين».

-٢-

إلا الحزن والصمت..

يمكنك أن تغير معالم جريمتك، لكن الحزن والصمت يبقيان..

هكـذا ظل (جابـر) ينظر فـي فضولٍ لأختـه وهو يعـد حاجيات الفـرار. لكن الفتاة لم تتكلم. إنها باسـلة فعلًا.. دعك من أنها كانت صادقة في مقاومتها لي وأنا لم أرَ قط فتاة صادقة في مقاومتها. هناك دومًا لمسـة تصنع وادعـاء. هذه الفتـاة كانت تكرهني فعـلًا.. تكره أحشائي كما يقول الأمريكان..

قال (جابر) بعد قليل وعلى وجهه علامات الجدية :

ـ «أنـا لا أثق بقسـمكم لأنكم تتعاملون معنا كأننا تحت مسـتوى الآدميـة.. وتكذبـون علينـا بالسـهولة التـي يكـذب بها المـرء على خروف، لكني سأجرب لمرة واحدة.. ما ستريانه سيبقى سرًّا..».

ثم أردف وهو ينهض :

ـ «لقد اضطررت لإجراء صفقات كثيرة.. كلفني هذا مالًا..».

قلت في ضيق:

ـ «إن أبي....».

رفع يده في كبرياء وقال:

ـ «لا أريد سماع كلمة عن أبيك وحياة أبيك..والآن هيا بنا.».

وتنـاول أداة غريبـة عبارة عن قضيبي خشـب متعامديـن كأنهما صليب..

وسط الظلام مشينا في الحارات والأزقة المتسخة التي لا ينيرها إلا مشعل هنا أو هناك..

وسط باعة السمك الفاسد..

وسط باعة المخدرات الرخيصة..

وسط باعة الأجساد..

وسط الشباب الذين يمزقون بعضهم في مشاجرات لا تنتهي..

وسط الأفاقين والنصابين وباعة الأعشاب..

وسط برك الماء الآسن وبقع الكيروسين..

وسط الترنشات التي لم تكسح منذ شهرين..

وسط جثث الكلاب التي تم تجريدها من اللحم..

وسط باعة الأجهزة المسروقة..

وسط الصبية الجالسين يلعبون القمار على قفص دجاج مقلوب..

وسط كل هذا نبتعد..

ثلاثة أشباح لكنها لا تجلب الرعب بل تشعر به..

جرمينال لا تكف عن هرش رأسها وصدرها كأن هذه هي علامة النجاة.. أنا منكم.. أقسم بالله أنني منكم!

هناك على جدار مهدم جلسنا..

قال لي جابر وهو يشعل لفافة تبغ:

ـ «أعتقد أن هناك عيونًا كثيرة تراقبنا.. لذا سيتم الأمر كما يلي.. سوف تدور حول الجدار كأنك تريد قضاء حاجتك، ثم تركض عبر الخرابة منحنيًا.. هل تعرف عدو الظليم؟.. لا.. هذه فرصة كي تعرفه.. عندما تبلغ الناحية الأخرى من الخرابة انتظرنا.. نحن سنلحق بك بذات الطريقة.. ».

كنا جالسين في الظلام كما قلت لك، فرأيت (جابر) ينزع سترتي المتسخة عن كتفي فيضعها على قطعتي الخشب فتبدو كأن هناك من يلبسها على كتفيه. فهمت.. مع الظلام والمسافة يشعر من يراقبنا أننا ما زلنا ثلاثة. هكذا وثبت لأدور حول الجدار في اللحظة التي رفع فيها رايته الغريبة مرفرفة.

رحت أركض عبر الخرائب وقدمي تلتوي من تحتي وأنفاسي متقطعة. على الأقل، لن تطاردني الكلاب المسعورة لأنه لا وجود لها.. أركض في الظلام لا أعرف إن كان ما أدوس فيه صخورًا، أم فضلات بشرية، أم جثثًا متعفنة، أم مجرد غبار..

وصلت إلى النهاية فوجدت جدارًا آخر مهدمًا.. وقفت جواره ألهث...

بعد قليل سمعت صوت لهاث آخر.. ورأيت جرمينال تركض وهي منحنية لتلحق بي..

وقفت جواري وهي عاجزة عن التنفس..

سرعان ما ظهر (جابر) وهو يركض بدوره. لقد ترك سترة واحدة معلقة هناك.. وهي تعني أن اثنين يقضيان حاجتهما بينما الثالث ينتظرهما..

هـو ذا يتجـه إلى وكر قـذر نهبـط إليـه منحدرين على درجات محطمة.. وفي نهاية السـاحة، ترى حافلات عتيقة يسيل منها الزيت والكيروسين وتهدر بلا انقطاع..

ـ «أيوه الساحل الشمالي!.. أيوه يوتوبيا!».

هذه الكلمات جعلت قلبي ينحشر في حلقي..

الوطن.. برغم كل شـيء هو الوطن... أنا الذي لا أنتمي لمكان ولا أشخاص ولا مبدأ..

سـقط قلبي في بطنـي.. معنى هذا أن هناك سـبيلًا للعودة.. لكن مـاذا عن الحـراس؟.. ماذا عن المارينـز والوصول إلى يوتوبيا؟.. رباه!..

من العسـير أن تقترب من يوتوبيا من دون تصريح.. سوف يفرغ فيك المارينز طلقات بنادقهم..

لـن يصغوا لك وأنـت تحكي قصصًا معقدة عـن تجربة الرجولة وكل هذا الهراء..

لو لم تتم مكالمة مع أبي فلا جدوى...

الرحلـة تنطلـق وأنـا أرقب (جابر) الجالـس صامتًا في الظلام أمامي.. كل شـيء في الحافلة يئن ويصر ويهتز.. رائحة الكيروسين تزكـم الأنفاس. أختلس النظـر إلى جرمينال ثم كل الوجوه التعسـة للعمال الذاهبين للعمل في مستعمرات الساحل.. الفرانين وجامعي القمامة وصائدي الفئران... كلهم سيئ التغذية ممتقع الوجه.. كلهم مهزوم.. كلهم واهن.. كلهم..

سـوف يبدأ عملهم في ورديات الليل.. سيعملون عشر ساعات

متواصلة ثم يعودون. معنى هذا أنهم يقضون بين ظهرانيهم أقل من سبع ساعات..

من الخير لهم أن يموتوا هنا والآن.

رباه!.. فلوجستين!.. كم أتحرق شوقًا له!.. لو سارت الأمور كما أتمنى فلسوف أتذوقه من جديد خلال ثلاث ساعات أو أقل..

أرقب معالم الطريق ونحن نتجه إلى الإسكندرية.. حتى بعلبة الكبريت المعدنية هذه، نحن نتحرك للأمام...

معالم الساحل الشمالي.. وجه (جابر) الصلب يرتسم على معالم الطريق المظلم.. فقط تلتمع عليه أضواء الطريق من حين لآخر..

ما خطته؟..

الاحتمال الأخطر أنه يرتب لنا مقلبًا ما.. ربما يريد التخلص منا بعيدًا عن أرضه.. جثتان في الصحراء ولا يعرف أحد من فعلها.. للأسف ليس لديَّ حل إلا أن أثق به ثقة مطلقة..

لماذا ينهض هنا؟... لماذا يتبادل الهمسات مع السائق؟

إنه يعود ليجلس جوارنا، وإن بدا أنه ينتظر شيئًا..

فجأة توقفت الحافلة وسمعته يقول لنا في الظلام:

ـ «هيا بنا!».

ماذا تقصد؟

نحن في قلب اللامكان بالمعنى الحرفي للكلمة..

-٣-

الحافلة تنطلق مبتعدة بمن فيها.. بقعة ضوء تشحب في الظلام.. سفينة أمل تمخر مبتعدة لتتركك في جزيرة قاحلة تموت عليها...

ظلام الليل والصحراء... ظلام الاحتمالات والأفكار.. أعرف أنني أستطيع قهر (جابر) لو هاجمنا.. لن ينتصر الفقر والشحوب وسوء التغذية على الثراء والرياضة منذ الصغر..

لكنه يملك عنصر المبادأة والمفاجأة ويعرف الأرض...

لو تسرعت بالفتك به فلربما اتضح أنه بريء، وأكون قد أضعت فرصتنا..

(جابر) يمشي وسط الصحراء بين النباتات الشوكية وبقايا الصبار.. يلتف وراء تل صغير ويطلب منا اللحاق به، فهرعت وجرمينال إلى هناك متوقعين الأسوأ..

الأسوأ كان هناك بالفعل وهو رجلان تبدو عليهما الشراسة والقوة ومسلحان.. تبادلت وجرمينال النظرات.. هل حان الوقت أخيرًا؟

لكن ثلاثة الرجال كانوا راكعين على ركبهم ينبشون الرمال بأظفارهم ومدى صغيرة على ضوء كشاف واهن.. أحدهم نظر لنا

فـي شراسـة كما يفعل كلب تفاجئه أثناء النبـش عن عظمة، ثم عاود العمل..

قال أحد الرجلين دون أن ينظر لنا:

ـ «هل أنت ضامن لهما يا (جابر)؟».

قال (جابر) وهو يواصل الحفر :

ـ «مثل نفسي..».

ثم مد يده ودس أشياء في يد الرجل.. أعتقد أنها مخدرات فالمال لا يبدو كذا.. فتحت فمي لأتكلم فصرخ (جابر) في وجهي:

ـ «اخرس يا (حنفي)!.. عندما تدخلُ حاولْ أن تسـرق لنا بعض الفلوجستين.. إن (حبارة) و(شيحة) لم يجرباه قط..».

تلمظ أحـد الرجلين حالمًا بينما ظهر الشـيء الذي كانوا ينقبون عنـه.. بوابـة حديدية صغيـرة مدفونة تحت طبقات مـن الرمل، وقد أزاحهـا المدعـو (حبـارة) فرأينـا درجـات خشـبية مثبتة فـي جدار رأسي..

قال (جابر) وهو يصوب الكشاف إلى داخل هذه البئر:

ـ «انزل يا (حنفي) أنت و(نفيسة)..».

أنا (حنفي) وهي (نفيسـة)؟.. لا أحب الاسـمين، لكن لا أعتقد أن هـذا هـو الوقـت الملائم. علـى كل حال، اندسـنا فـي الفتحة ورحنا نهبط الدرجات الخشبية في الظلام غير عالمين إلامَ تقودنا.. وسمعت (جابر) يقول للرجلين:

ـ «سأوصلهما لأقرب نقطة ثم أعود.. انتظراني».

ثم سمعت جسده ورأيت ضوءه ينزل وراءنا.. فما إن صار بيننا في قاع البئر حتى صحت:

ـ «ماذا يحدث هنا؟».

قال وهو يتقدمنا عبر ممر مظلم:

ـ «أنفاق!... منذ البداية هناك أنفاق سرية يمكننا بها الدخول إلى (يوتوبيا) لسرقة ما نريد.. من السهل أن تغادر (يوتوبيا)، لكن من المستحيل أن تدخلها من دون بطاقة (عبودية).. قام هؤلاء البلطجية بحفر هذه الأنفاق وهم يؤجرونها لمن يدفع.. الثمن يكون مالًا أو مخدرات.. طبعًا من الواضح أنني أقنعت هذين أنكما فقيران مثلنا، وأنكما تريدان تجربة السرقة.. لو قلت إنكما من أهل (يوتوبيا) لمزقاكما في اللحظة ذاتها..».

هتفت جرمينال:

ـ «أي إن هذا النفق يقود إلى...».

ـ «إلى قلب (يوتوبيا).. جوار ذلك (المول) الكبير الذي نسيت اسمه..».

ـ «إليت مول».

ـ «نعم.. حيث ينتشر أمثالكم كالضباع بحثًا عن فريسة.. سعار الاستهلاك واللعاب يتساقط على الأرضية الزلقة البراقة. بينما العبيد والجواري من عندنا يقفون بانتظار تلبية طلباتكم. عبد يجلب لكم العصير.. جارية تساعدكم في اختيار ثوب مناسب. خصي يقف على باب المرقص. كل شيء متاح وللبيع حتى العبيد أنفسهم».

قلت في برود:

ـ «تشبيهاتك شاعرية».

أردف قائلًا:

ـ «سـوف تخرجـان هنـاك وأعتقـد أنكما لـن تجـدا صعوبة في الوصول لداريكما..».

قلت في انفعال:

ـ «لماذا تفعل هذا كله؟».

فقد بدا لي مبالغًا بحق في هذا الذي يفعله...

ربما يتضمن المعروف جزءًا سـلبيًا هو ألا يبلغ عنا..هذا سهل.. لكنـه تجاوز هذا الحد إلى الجزء الإيجابي.. أنفاق وبلطجية ودفع مال وتسلل ليلي.. إلخ...

لا أحد يفعل شيئًا من غير ثمن.. الثمن قد يكون مالًا.. قد يكون منصبًا.. قد يكون جسدًا.. قد يكون إحساسًا بالتفوق.. قد يكون قصة تحكيها لأصدقائك وعيناك تلتمعان تيهًا.. قد يكون تقديرًا للذات لا تستحقه..

هناك ثمن دائمًا...

وأنا لا أقبل الشيء قبل أن أعرف ثمنه...

فكر حينًا.. توقعت ردًا بلاغيًا طنانًا على غرار (لأننا أفضل منكم)، أو (لأنني لا أحب الدماء).. إلخ.. لكنه اكتفى بأن هز رأسه وقال:

ـ «لأنني أريد ذلك.. ».

ثم ابتسم وغمغم بشيء في الظلام، فسألته عما يقول.. قال بصوت أعلى وهو يواصل طريقه:

ـ «كان عندنا شاعر اسمه (عبد الرحمن الأبنودي).. هل سمعتما عنه؟».

ـ «لا.. ».

ـ «بالطبع لم تسمعا عنه.. كان هذا الشاعر يقول: إحنا شعبين.. شعبين..شعبين.. شوف الأول فين والتاني فين؟ وآدي الخط ما بين الاتنين بيفوت».

لم أفهم شيئًا.. فقط أفهم أنه يغلي من الحقد الاجتماعي.. هذا هو كل شيء..

قلت له في الظلام:

ـ «برغم كل شيء.. أنت إنسان نبيل.. ».

لم يرد وواصلنا تقدمنا.. مشينا نحو عشر دقائق..

بقعة ضوء تتحرك عبر النفق.. تذيب ظلامًا ثم تغيب وسط ظلام جديد..

صوت الخطوات..

صوت اللهاث..

صوت قطرات العرق تتساقط على الصخر..

وفي النهاية، أدركت أننا في قاع بئر أخرى وأن درجات صاعدة

تقودنا للسطح.. هناك صخور مكومة بحيث تسهل لك الوصول لأسفل الدرج..بصعوبة منعت نفسي من الصراخ فرحًا، وجرمينال راح صدرها يعلو ويهبط..

قال (جابر) وهو يشير بالكشاف لأعلى:

ـ«لأسباب واضحة لن ألحق بكما.. أنتما في أمان الآن.. وداعًا.. فقط لا تعودا ولا تحاولا صيد واحد آخر منا.. فلن أكون موجودًا المرة القادمة..».

قالت جرمينال في تأثر:

ـ «أنت رائع يا (جابر).. شكرًا لك..».

لم يرد واستدار ليرجع وضوء الكشاف يحيط به كأنه رؤيا...

لابد أنه ظل محتفظًا بتأثره حتى اللحظة الأخيرة..

لابد أن ابتسامته الخافتة لم تفارق شفتيه، بينما وجهه يهوي ليتمرغ في التراب..

لابد أنه لم يذق الدم الذي سال من شدقيه..

لابد أنه لم يدرك أنني التقطت ذلك الحجر وهويت على مؤخرة رأسه بأقوى ما استطعت..

اضطررت لأن أقلبه على ظهره؛ فسال الدم كالنهر من الفجوة الدامية التي صنعتها منذ ثانية..

عينه التالفة تنظر لي في ثبات بينما تحولت نظارته إلى فتات...

التقطت المدية.. المدية التي سرقتها من المذبح.. من الغريب

أن مدية أخرى تطل من حزامه.. لابد أنه كان يخافنا بالقدر الذي كنا نخافه به، وأراد أن يؤمن نفسه...

صرخت جرمينال في هستيريا:

ـ «لماذا فعلت ذلك؟.. لقد ساعدنا!».

قلت وأنا أقوم بما يجب أن أقوم به:

ـ «وانتهى دوره عند هذا الحد!.. إنه أحمق وعليه أن يدفع الثمن.. أنا لن أقوم بكل هذه المغامرة وأعود من دون تذكار..».

للأسف لن أستطيع أن أحمل جسده صاعدًا الدرجات.. كما أنه مات على الأرجح فلن يوفر مصدرًا للتسلية.. إذن، لم يعد يهمني من أمره سوى هذا الشيء الذي أخذته ولففته في السترة المتسخة التي منحها لي..

لم يكن هناك غراب.. لم يكن هناك غراب..

لماذا تذكرت هذا الآن؟

تركته حيث هو وصعدت الدرجات.. ستكون كارثة لو كان قد خدعنا..

-٤-

«لكـن إنتـم خلقكـم سيـد الملـك
جـاهـزيـن للمـلـك..
إيديكم نعمت من طول ما بتفتل ليالينا الحلك
يـا عـم الضـابـط
إحبسـني
سففنـي الحنضـل واتعسـني
رأينـا خلـف خـلاف..
إحبسنـي أو اطلقنـي وادهسـني
رأينـا خلـف خـلاف».

عبد الرحمن الأبنودي

* * *

فتحة بين الأعشاب يصعب أن يراها من لا يبحث عنها..

تغطي الفتحةَ قضبانٌ متعامدة جَدَلَ أحدهم العشب بعناية بينها..

لكننا عندما أزحنا القضبان وأخرجنا رأسينا، شممنا رائحة

هـواء البحـر.. شـممنا الليـل المخلـوط بالعطر واللحـم البشـري والفلوجستين..

شممنا رائحة الدولارات وبطاقات الائتمان والخمور الباهظة..

رأينـا أضواء يوتوبيا تحيط بنا.. على بعد خطوات مول (إيليت) المفضل عندي.. أرى لافتته الملونة وزحام السيارات حوله.. نحن، إذن، فـي الحديقـة الخلفيـة للمول.. نعـم.. أرى تمثال المستحمة العارية الذي طالما حلمت بمضاجعته وأنا صبي..

حمدًا لله!... لقد نجونا..

سيكون صعبًا أن نفسر لمن يرانا أننا لسنا من الفقراء المتسللين.. الأصعب أن أخفي هذه اليد التي بدأ الدم يتساقط منها.. لكننا سنقابل مصريين أو إسرائيليين، وهؤلاء يمكن التفاهم معهم.. بينما لا يمكن التفاهم مع المارينز الذين يطلقون الرصاص ثم يتكلمون..

ساعدت جرمينـال على الخروج ووقفنا هناك في البرد الذي يبعثه هواء البحر، وسط أضواء المساء الملونة وتعانقنا..

لقد تمت المغامرة ونجونا!

لقد دخلنا الجحيم وعدنا منه. دسسنا رأسينا بين فكي التمساح وخرجنا..

قلـت لهـا ونحـن نشـق شـوارع (يوتوبيا) شـبه الخاليـة في هذه الساعة:

ـ «يمكن القول إننا لم نفقد أي شيء...».

قالت وهي تشهق في انفعال:

ـ «سوى ساعات قاسية».

ـ «لابد أنهم قلبوا الدنيا علينا».

ـ «سوف يفهمون ويغفرون».

قالت وهي ترتجف كلمات لم أتبينها؛ فسألتها أن ترفع صوتها.. قالت:

ـ «إحنا شعبين..شعبين..شعبين.. شوف الأول فين والتاني فين؟ وآدي الخط ما بين الاتنين بيفوت.. ألم يكن شاعره يقول هذا؟».

ـ «بلى.. وهو صادق على طول الخط!».

كانت الاحتفالات صاخبة بعودتنا..

في البداية، هناك طبقة واهنة من اللـوم والتبكيت.. طبقة ذابت على الفور..

ثم يبدأ الاحتفال الحقيقي بالبطلين العائدين..

أنهـار مـن الخمـر والفلوجستين سـالتْ.. حكيـت قصتنا ألف مـرة، وفي كل مرة أضيف تفاصيـل جديدة تثير الخيال.. لقد صرت رجلًا.. ذهبت إلى هناك وعدتُ بيد أحدهم..

كنت أحكي لهم عن (جابر) الأحمق.. (جابر) السـاذج الذي لم يستطع أن يفهم قواعد اللعبة..

حكيـت لهـم عـن صفيـة المسـلولة التي قاومـت كأنهـا الملكة كليوباترا. يجب أن يتناسب حجم المقاومة مع قيمة ما يدافع المرء عنه.. بالنسبة لحالتها، لم يكن هناك داعٍ لمقاومة من أي نوع..

١٧٠

قال راسم وهو ينفث الدخان:

ـ «يتوقف الأمر على قيمة ما يدافع المرء عنه بالنسبة له وليس بشكل مطلق.. لو رأيت أمي وهي تدافع عن الفأر الصغير الأليف الذي تربيه عندما أراد أبي أن يلقي به في البالوعة، لحسبتها تدافع عن أيقونة مقدسة.. بالنسبة للفتاة كانت تدافع عن أهم شيء لديها..».

ـ «عن بكارتها؟».

ـ «بل عن إرادتها.. عن حرية اختيارها.. هذا هو فأرها الخاص».

أطلقت سبة بذيئة.. تبًّا لك عندما تعبث الماريجوانا بخلايا مخك. إنها تجعل الناس أكثر ظرفًا، لكنها تجعلك أكثر تحذلقًا وميلًا للتفلسف.. تجعلك ابن كلب حقيقيًّا.. لكل واحد منا فأره الذي يعتبره أثمن شيء في العالم. ربما يراه الآخرون مجرد فأر حقير، لكنه بالنسبة لك أهم شيء في الوجود. ترى ما هو فأري المدلل الأليف؟

أنا فأري المدلل الأليف!

لوحت بالذراع التي قمت بتحنيطها وتجفيفها:

ـ «في صحة جابر».

ـ «وصفية».

ـ «والسرجاني..».

ـ «أجدع ناس..».

١٧١

ومـن جهـاز الهـاي فـاي تـدوي أغنيـة جديـدة مـن أغانـي الأورجازم:

«ضعي عنقك على الصخرة المقدسة..

ضعي حياتك على الصخرة المقدسة..

انظري لنصل السكين وهو يهبط فوق الوريد الثري

خائفة؟.. أنا أحب هذا يا صغيرة..

كذا أنت أقوى من الطبيعة ذاتها؛ لأنك تضخين الدماء في عروقي من جديد..

أنتشي..

أفيض....

في لحظة كتلك أحبك حقًّا..

ضعي عنقك يا صغيرة..

ضعي عنقك على الصخرة المقدسة».

وتنهض ماهـي لتطوح بحذاءيها وتأتي بحركات مجنونة.. تميل بعنقها كأنها تنيمه على صخرة... تطوح شعرها يمينًا ويسارًا..

تسقط على الأرض في وضع استسلام كأنها تتأهب للذبح..

كاهنة يوتوبيا الشقراء.

ترتفع موسيقى الأورجازم ونغيب وسط النيران الخضر...

«ضعي عنقك يا صغيرة..

ضعي عنقك».

-٥-

قطّر كل روائح الكون.. قطّر عبق السراخس في المستنقعات التي خطت فيها الديناصورات منذ ملايين السنين.. قطّر رائحة عرق كليوباترا ودماء يوليوس قيصر.. قطّر البخور الذي أشعله الدراويش في ليالي القاهرة الفاطمية.. قطّر النيران التي التهمت القاهرة فيما حكوا لنا، وقطّر عبق كل غانيات باريس راقصات الكان كان.. قطّر كل روائح حيتان العنبر وكل أنفاس النمور الآسيوية التي تتسلل في ظلام الأحراش.. قطّر الأحراش ذاتها.. قطّر روائح البانسيه والنرجس والليلاك والزنابق.. قطّر كل هذه الروائح معًا ثم... ثم، ماذا؟.. نسيت..........

أصحو من النوم..أفرغ مثانتي.. أدخن.. أشرب القهوة.. أحلق ذقني.. أعالج الجرح في جبهتي ليبدو مريعًا.. أضاجع الخادمة الإفريقية.. أتناول الإفطار... أصب اللبن على البيض وأمزق كل هذا بالشوكة..ألقي بالخليط المقزز في القمامة... أتثاءب.. أضحك.. أبصق... ألتهم اللحم المحمر.. أدس إصبعي في حلقي.. أدخل غرفة نوم لارين لأفرغ ما بمعدتي على البساط.. أضحك.. أدس إصبعي في أذني.. آخذ زجاجة ويسكي من البار وأجرع منها..

أرقـص.. أترنـح.. أقـف فوق أريكـة.. أتقلـب على البسـاط.. أقرأ الجريـدة التـي لا تزيـد علـى اجتماعيـات يوتوبيا...أخـرج أنبوب الفلوجستين.. أصب قطـرات على جلدي.. أنتشـي.. أرى النيران الخضر... أضحك... أمشي عاريًا في الردهة.. ألبس ثيابي.. أرسم علـى الجدار بقلـم الفحم شـعارات تقـول: اقتلوا البيض.. أشـغل بعض موسيقى الأورجازم..

سـاعة واحـدة فعلـت فيها كل شـيء، ولم يبقَ شـيء فـي الحياة يهمني أو أريده!

لكن الهاتف دق..

كان هذا (راسم) يخبرني بأمور غريبة:

- «هل تعرف أن الطائرات معطلة؟».

- «كلها؟..لماذا؟».

حكى لي قصة عجيبة عن مغامرة قام بها الأغيار من يومين.. لقد هاجموا قافلة هائلة تحمل البايرول عبر الصحراء.. أنت تعرف أنهم يقومون بإنزاله من حاملات البايرول غربًا. لقد هوجمت القافلة وتم أسـر سـائقيها. وهو عمل لم يحدث من قبل ولم يتحسـب له أحد. النتيجة هي ارتباك عام. ظل السـائقون في الأسـر بضع ساعات، ثم تم إطلاق سراحهم وقالوا إنهم لاقوا معاملة حسنة..

لم يفهم أحد سبب هذه المغامرة ولا جدواها.

فقط عندما تم ملء خزانات الطائرات وحاولت طائرة (مصطفى بيـه) البونانـزا الرياضية أن تحلق، لم تسـتطع.. بالتدقيـق في الأمر،

اتضح أن ما في خزانها ليس وقودًا.. لا توجد قطرة بايرول فيها. لقد قام أحدهم بملء خزانات البايرول بسائل المجاري!

التحقيق قال إن هذا ما حدث عندما اختطف السائقون.. لقد تم إفراغ الخزانات بالكامل، ثم جاءت عربات كسح الترنشات اللعينة وقامت بملء الخزانات بمحتواها الكريه.

النتيجة هي أن محركات الطائرات تلفت كلها..

محركات السيارات تلفت كلها. هذا ما اكتشفه من جربوا ملء خزانات سيارتهم بهذا البايرول المغشوش.

قلت لراسم ضاحكًا:

- «كنت سأندهش جدًّا لو حلقت الطائرات بوقود من الـ(...)..».

وانفجرنا ضاحكين ... وتبادلنا ألف نكتة على هذه الفكرة.

قال راسم بعدما استنفد قدرته على الضحك:

- «كل هذا جميل، لكن الوضع ليس مريحًا على الإطلاق.. إصلاح الطائرات والسيارات يستغرق وقتًا.. هل تعرف معنى هذا؟.. معناه أننا معزولون فعلًا!».

معزولون فعلًا..

ظلت الكلمة تتردد في ذهني زمنًا..

ازداد الأمر سوءًا عندما جلس معنا مراد على مائدة الغذاء. قال للارين:

ـ «لا توجد مواصلات.. الغريب أن رائحة الغائط تتصاعد من كل المحركات. رجال المارينز قلقون وقد اتصلوا بوحدات الأسطول السادس.. لابد من وجود باب خلفي للفرار كما تعرفين، وهذا الباب أغلق بتعطل الطائرات.. وعدوهم بأن يرسلوا لنا بعض طائرات الهليكوبتر بمجرد أن تقترب الحاملة (جيفرسون) من مياهنا الإقليمية.. هذا يستغرق يومين.. ».

رائحة الغائط من كل المحركات؟.. بدا لي هذا مضحكًا وإن لم أكلف نفسي بالضحك. سألته في عصبية:

ـ «هل تتوقع أن يحدث شيء في يومين؟... نحن هنا منذ دهور..».

قال مراد:

ـ «هناك كلام يتناثر هنا وهناك... ثمة شيء يتحرك في أرض الأغيار.. إنهم يتحركون ضدنا.. ».

ـ «وما الجديد؟.. إنهم يفعلون هذا مرتين في العام ويخبو حماسهم بسرعة..».

ـ «هذه المرة هم أعنف وأكثر تصميمًا وتنظيمًا.. يقولون إن أحدهم ساعد اثنين من يوتوبيا على النجاة من أرض الأغيار وجعلهما يعيشان تحت سقفه، لكنهما قتلاه وقطعا يده بعدما اغتصبوا أخته العذراء!.. وجدوا جثته في نفق يستخدم للتسلل إلى هنا. القصة تسللت إلى كل كوخ وكل زقاق هناك وأشعلت النفوس.. لقد تحملوا الكثير، لكن يبدو أن هذه كانت القشة التي قصمت ظهر البعير.. ».

رحت آكل محاولًا ألا يبدو تعبير مريب على وجهي.. رسمت على وجهي تعبير رجل لم يقطع يدَ واحدٍ من الأغيار.

قالت لارين في استخفاف:

ـ «إنهم قد سُلبوا كل شيء وظلوا صامتين، فماذا يحدثه موت واحد من فارق؟.. لا أظن الثورات تقوم لأسباب كهذه.. ».

ـ «بـل لا تقوم إلا لأسـباب كهذه.. الصخـرة تحملت الكثير من الضربـات، لكنهـا تفتتت عند الضربـة الخمسـين.. لـم تكن الضربة الخمسون هي ما فعل ذلك، لكن كل الضربات السابقة.. ».

ـ «هذه قصص أطفال..».

ـ «وهل الجموع الغاضبة سوى أطفال؟».

* * *

«إنتم بعتوا الأرض بفاسها..بناسها

في ميدان الدنيا فكيتوا لباسها

بانـــــت وش وضهـــر...

بطـــــن وصـــــدر..

والريحه سبقت طلعة أنفاسها

واحنا ولاد الكلـب الشعـب

إحنا بتوع الأجمل وطريقه الصعب

والضرب ببوز الجزمة وبسن الكعب

والمـــوت فـــي الحـــرب..».

عبد الرحمن الأبنودي

* * *

كان اسمه جابر.. وقد كان أحمق لم يفهم قواعد أي شيء...

بشكل ما، يستحق الفقراء كل ما هم فيه.. إنهم أقل ذكاء من آبائنا.. إنهم ضعيفو الإرادة خاملون.. تركوا أنفسهم يُسرقون كل هذا الزمن من دون أن يحركوا إصبعًا.. هم بهذا انحدروا إلى درجة أقل من مرتبة الحيوان.. حتى النحل يلدغك لو حاولت سرقة عسله، والدجاج ينقر أظفارك لو حاولت سرقة البيض.. بينما هم ظلوا خائفين صامتين..

ما دامت الحياة ممكنة فلنبقَ صامتين...

ما دام عشاء الليلة موجودًا فلنبقَ صامتين..

لهذا لا أحمل أي تعاطف نحوهم وقد زادتني هذه المغامرة مقتًا لهم.. حتى (جابر) هذا - يرحمه الله - كان مجرد متحذلق لا يكف عن الثرثرة ولا يفعل أي شيء..

(مايك رودجرز) رجل المارينز جاء إلى دارنا ولم يكن متأهبًا للمزاح. عرفت أنه يقوم بجولة على كل القصور هنا مع رجال في سيارة جيب عسكرية لم تتلفها مياه المجاري. قال إن علينا ألا نغادر بيوتنا إلا للضرورة.. قال إن علينا ألا نقلق. كل شيء تحت السيطرة..

هذه العبارة وحدها (لا نقلق فكل شيء تحت السيطرة)، تعني أن نقلق جدًّا..

سأله (مراد) عما هنالك.. فقال إن الفقراء ثائرون.. ثائرون ويتقدمون في جموع منظمة عبر الصحراء....

ثم أضاف في لهجة ذات معنى:

ـ «لا أريـد أن أثيـر ذعـر أحـد، لكن ربما نطلب منكـم الفرار في أي لحظة!».

ـ «ومتى؟».

ـ «عندما تصلنا طائرات الهليكوبتر التي طلبناها..».

قال له مراد في توتر وقد بدأت شفته السفلى ترتجف:

ـ «يجب أن تحموني.. سوف أدفع لك مكافأة خاصة..».

قال مايك بطريقته الأمريكية التي تستنسخ رعاة البقر:

ـ «أنـا أتقاضى راتبي عن حمايـة يوتوبيا كلها، وهو كافٍ لي.. لا تقلق».

كدت أصيح في مراد: لماذا ترتجف؟

لم لا تكون أكثر كبرياء؟

لم لا تكون أكثر وقارًا؟

ما أتوقعه من أبي ـ لو كان حقًّا أبي ـ هو أن يغضب ولا يخاف.. يحتقر ولا يرتجف.. يغتاظ ولا يقلق.. يشتم ولا يلوم..

الرحيل؟...

الشتات؟

هـذا لن يكون.. هذه أرضي وهذا عالمـي.. ولدت هنا.. لو كان أبي قد سـرق هذه الحقوق فهي قد صارت لـي بحكم الوراثة، ولن أتخلى عنها من أجل أمثال (جابر) والمتسولين وعاهرات الأزقة..

هرعت إلى البوابات..

لارين تناديني..

جرمينال تناديني..

رودجرز يقول لي أن أبتعد..

لكني أشق طريقي بين الجند الذين اتخذوا أوضاعَ تأهبٍ للقتال، وأعدوا قنابل الغاز والبازوكا..

لا أحـد منهـم يجسر على التعرض لي لأنهـم يعرفون مـن أنا، لكنهم يحاولون منعي في غير حماس..

أرفع رأسي لأرمق خارج البوابات..

فأشهق..

رأيتهـم هناك علـى مـدى الأفـق قادمين.. يحملون المشـاعل ويصرخون غضبًا..

بعد ربع ساعة سيكونون هنا..

سيكونون بيننا..

بيومي ومتولي وعبد الظاهر والسرجاني وصفية وعواطف وعزة ومينا وزينهم وشحاتة وعباس وصفوت وعبد الله ومرسي وعدنان وزلطة و.......

كلهم هنا....

مايك يقول لي:

ـ «ابتعد الآن من هنا.. اتفقنا؟.. إن بعض الطلقات سوف تطفئ

حماسهم.. بعد أول خمسمائة قتيل سوف ينظرون للأمور بشكل مختلف...».

انتزعت البندقية الآلية من يد جندي المارينز الواقف جواري، وصوبتها نحو كتلة البشر القادمة في الأفق.. لم أفطن إلى أنني لم أجرب هذا من قبل، ولم تفتّ من شجاعتي الضربة القوية التي تلقيتها في ساعدي لدى الارتداد..

هكذا رحت أطلق النار..

أطلق النار..

أطلق النار..

«في لحظة كتلك أحبك حقًّا..

ضعي عنقك يا صغيرة..

ضعي عنقك على الصخرة المقدسة ».

أطلق النار...

أطلق النار..

«سففني الحنضل واتعسني

رأينا خلف خلاف..

إحبسني أو اطلقني وادهسني

رأينا خلف خلاف».

أطلق النار..

تمت